千字文

明心寶鑑

韓石峰 千字文 解說
明 心 寶 鑑 解 說
文敎部 選定 1,800漢字
三 綱 五 倫
朱 子 十 悔 訓

一信書籍出版社

책머리에

"천자문(千字文)도 못 읽고 인(印) 위조한다."라는 우리의 속담(俗談)이 있다. 이것은 어리석고 무식한 주제에 다른 사람을 속이려 한다는 뜻인데, 이처럼 우리 조상들은 예로부터 '천자문'조차 모르면 대접을 받지 못하였다.

천자문은 중국 양(梁)나라의 주흥사(周興嗣)라는 사람이 엮은 책인데, 이것은 우주 삼라 만상(森羅萬象)의 크고 작은 모든 것을 사언 고시(四言古詩) 250귀 1천 자로 쓴 것이다.

이 책은 일찌기 우리 나라에 전래되어 예로부터 한문(漢文) 학습의 길잡이가 되었으며, 특히 조선 14대 선조(宣祖) 때에 한석봉(韓石峰)이 쓴 〈석봉 천자문(石峰千字文)〉이 간행되어, 글씨에서뿐만 아니라, 이후의 국어학 연구에도 빼어 놓을 수 없는 자료가 되었다.

조선 때의 명필(名筆)인 한석봉(韓石峰; 1543~1605)은 이름이 호(濩), 자는 경홍(景洪)이며, '석봉'은 그의 호이다. 글씨의 천재였던 한호는 왕희지(王羲之)와 안진경(顔眞卿)의 필법(筆法)을 익혀 해서(楷書)·행서(行書)·초서(草書) 등에 두루 뛰어났다.

그는 1567년 진사시(進士試)에 합격, 이후 가평 군수·흡곡 현령·존숭도감 서사관 등의 벼슬에도 있었으나, 역시 조선 초기의 4대 명필 중의 한 사람인 추사(秋史) 김정희(金正喜)와 함께 서예계(書藝界)의 쌍벽으로서 그 이름이 높았다.

〈명심보감(明心寶鑑)〉은 조선 시대 이후의 유교 사상(儒教思想)을 중심으로 고래(古來)의 격언(格言)·명귀(名句)·철언(哲言) 등을 수록한 책으로, 오늘날까지도 우리 나라 지성인들에게 많이 애독(愛讀)되고 있다.

특히, 오늘날의 우리 청소년들에게 권하고 싶은 책이 바로 〈명심보감〉이다.

고대 그리스의 시인(詩人)인 아이스킬로스(Aischylos)는 "진리의 말은 가장 단순하다."라고 갈파하였다. 〈명심보감〉에 실린 말들도 그 모두가 우리도 익히 아는 '단순한 말'이다.

그러나, 이러한 진리는 우리에게 신념(信念)을 줄 뿐만 아니라, 진리를 구하는 길은 무엇보다도 우리에게 마음의 평화를 준다.

우리의 선인(先人)들에게 있어서나 오늘날의 우리들에게 있어서나 진리는 불변(不變)한 것이 아니겠는가.

엮은이 씀

● 차　　례

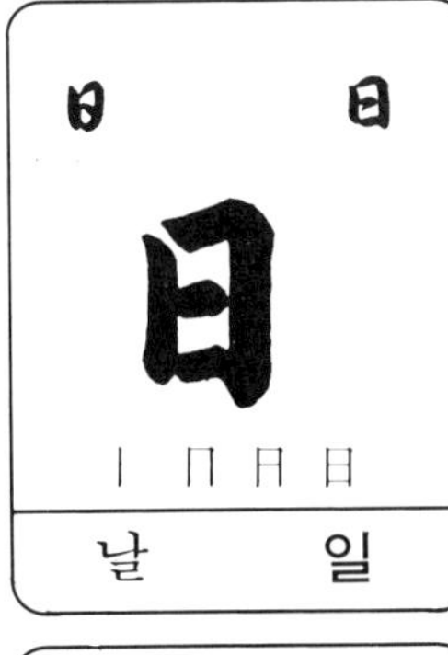

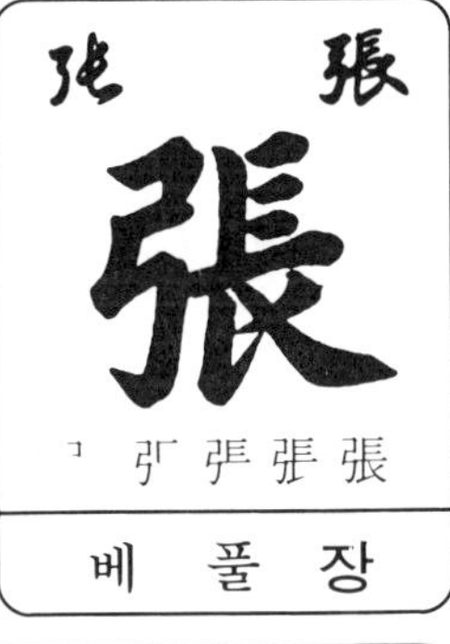

天地玄黃	하늘은 위에 있으므로 그 빛이 검고, 땅은 아래에 있으므로 그 빛이 누렇다.
宇宙洪荒	하늘과 땅 사이는 넓고도 커서 끝이 없다. 즉, 이 세상이 매우 넓음을 뜻한다.
日月盈昃	해는 서쪽으로 기울고, 달도 차면 점점 기울어진다.
辰宿列張	성좌가 해와 달과 같이 넓게 벌려져 있다.

寒 찰 한

來 올 래

暑 더울 서

往 갈 왕

秋 가을 추

收 거둘 수

冬 겨울 동

藏 감출 장

閏 윤달 윤

餘 남을 여

成 이룰 성

歲 해 세

律 법률 률

呂 음률 려

調 고를 조

陽 볕 양

寒來暑往	차가운 것이 오면 더운 것이 가듯이 사철이 바뀐다.
秋收冬藏	가을에는 곡식을 거두어들이고, 겨울에는 그것을 저장해 둔다.
閏餘成歲	일년의 이십사 절기 나머지 시각을 모아서 윤달로 해를 정했다.
律呂調陽	율〔六律〕과 여〔六呂〕는 천지간의 양기를 고르게 하나니, 율은 양이요, 여는 음이다.

雲 구 름 운

騰 오 를 등

致 이 를 치

雨 비 우

露 이 슬 로

結 맺 을 결

爲 할 위

霜 서 리 상

金 쇠 금

生 낳 을 생

麗 빛 날 려

水 물 수

玉 구 슬 옥

出 날 출

崑 메 곤

崗 메 강

雲騰致雨　수증기가 올라가서 구름이 되고, 냉기를 만나서 비가 된다. 즉, 천지간의 자연 기상을 뜻한다.

露結爲霜　이슬이 맺혀서 서리가 되고, 밤기운이 풀잎에 물방울처럼 이슬을 이룬다.

金生麗水　금은 여수에서 난다. 여수는 중국의 지명이다.

玉出崑崗　옥은 곤강에서 난다. 곤강은 중국의 산이름이다.

劍	號	巨	闕
칼 검	이름 호	클 거	집 궐
珠	稱	夜	光
구슬 주	일컬을 칭	밤 야	빛 광
果	珍	李	柰
과실 과	보배 진	오얏 리	벚 내
菜	重	芥	薑
나물 채	무거울 중	겨자 개	생강 강

劍號巨闕 거궐이라는 칼이 있다. 이 칼은 구야자가 만든 조나라의 국보이다.

珠稱夜光 구슬의 빛이 낮과도 같으므로 야광이라고 일컫는다.

果珍李柰 과실주에는 오얏과 벚의 진미가 으뜸이다.

菜重芥薑 나물 중에는 겨자와 생강이 제일 귀중하다.

바 다 해

짤 함

물 하

맑 을 담

비 늘 린

잠 길 잠

깃 우

날 개 상

龍

용 룡

師

스 승 사

불 화

임 금 제

鳥

새 조

벼 슬 관

사 람 인

皇

임 금 황

海鹹河淡	바닷물은 짜고, 민물은 맛도 없고 맑다.
鱗潛羽翔	비늘이 있는 고기는 물 속에 잠기고, 날개가 있는 새는 하늘을 난다.
龍師火帝	용 스승 불 임금이란 복희씨는 용으로써, 신농씨는 불로써 기록하였다.
鳥官人皇	소호는 새로써 벼슬을 기록하고, 황제는 인문을 구비했으므로 인황이라 하였다.

始	制	文	字
비로소 시	지을 제	글월 문	글자 자

乃	服	衣	裳
이에 내	옷 복	옷 의	치마 상

推	位	讓	國
밀 추	자리 위	사양 양	나라 국

有	虞	陶	唐
있을 유	나라 우	질그릇 도	당나라 당

始制文字 복희씨는 창힐이라는 자를 시켜 새의 발자국을 보고 글자를 처음으로 만들었다.

乃服衣裳 이에 옷을 입게 하니, 황제가 의관을 지어 등분을 정하고 위의를 엄숙케 하였다.

推位讓國 벼슬을 미루고 나라를 사양하니, 제요가 제순에게 전위하였다.

有虞陶唐 유우는 제순이요, 도당은 제요이니, 이는 곧 중국 고대 제왕이다.

弔	民	伐	罪
ㄱ ㄱ 弓 弔	ㄱ ㄱ 尸 𡰪 民	亻 仁 代 伐 伐	罒 罗 罗 罪 罪
조 상 조	백 성 민	칠 벌	허 물 죄

周	發	殷	湯
冂 冂 月 円 周	癶 癶 癸 發 發	厂 戶 肙 殷 殷	氵 浔 浔 湯 湯
두 루 주	필 발	나 라 은	끓 을 탕

坐	朝	問	道
人 从 坐 坐 坐	十 古 卓 朝 朝	丨 𠃍 門 門 問	䒑 首 首 首 道
앉 을 좌	아 침 조	물 을 문	길 도

垂	拱	平	章
三 𠀐 𠀐 垂 垂	扌 扌 拱 拱 拱	一 ㇀ 丷 亚 平	立 音 音 音 章
드 리 울 수	꼬 질 공	평 할 평	글 장 장

弔民伐罪 불쌍한 백성은 돕고, 죄를 지은 백성에게는 벌을 주었다.
周發殷湯 주발은 무왕의 이름이고, 은탕은 왕의 칭호이다.
坐朝問道 좌조는 천하를 통일하여 왕위에 앉은 것이고, 문도는 나라를 다스리는 법이다.
垂拱平章 밝고 평화롭게 다스리는 길을 공손히 생각한다.

愛	育	黎	首
사 랑 애	기 를 육	검 을 려	머 리 수
臣	伏	戎	羌
신 하 신	엎드릴 복	되 융	되 강
遐	邇	壹	體
멀 하	가까울 이	한 일	몸 체
率	賓	歸	王
거느릴 솔	손 빈	돌아갈 귀	임 금 왕

愛育黎首 백성을 임금이 사랑하고 양육한다.
臣伏戎羌 위와 같이 나라를 다스리면 그 덕에 굴복하여, 융과 강도 항복하게 된다.
遐邇壹體 멀고 가까운 나라에 그 덕망이 퍼져서 귀순케 되며 일체가 된다.
率賓歸王 거느리고 왕에게 귀순하니, 덕을 입어 복종치 않음이 없다.

鳴 — 울 명

鳳 — 새 봉

在 — 있을 재

樹 — 나무 수

白 — 흰 백

駒 — 망아지 구

食 — 밥 식

場 — 마당 장

化 — 조화 화

被 — 입을 피

草 — 풀 초

木 — 나무 목

賴 — 힘입을 뢰

及 — 미칠 급

萬 — 일만 만

方 — 모 방

鳴鳳在樹 그 덕이 미치는 곳마다 봉황이 나무 위에서 운다.

白駒食場 흰 망아지도 그 덕에 감화되어서 사람을 따르며, 마당의 풀도 뜯어 먹게 된다.

化被草木 그 덕이 사람이나 짐승뿐 아니라, 풀과 나무에까지도 미친다.

賴及萬方 여러 곳에 그 덕이 고르게 미친다.

蓋	此	身	髮
덮을 개	이 차	몸 신	터럭 발

四	大	五	常
넉 사	큰 대	다섯 오	항상 상

恭	惟	鞠	養
공손 공	오직 유	칠 국	기를 양

豈	敢	毁	傷
어찌 기	용감할 감	헐 훼	상할 상

蓋此身髮 이 몸의 털은 사람마다 없는 자가 없다.

四大五常 네 가지 큰 것과 다섯 가지 떳떳함이 있으니, 즉 사대는 천지군부요, 오상은 인의예지신이다.

恭惟鞠養 국양함을 공손히 하여라. 이 몸은 부모의 기르신 은혜 때문이다.

豈敢毁傷 부모가 낳아 길러 주신 이 몸을 어찌 감히 헐고 상하게 하랴.

人 女 女

계 집 녀

慕

艹 苜 莫 慕 慕

사모할 모

貞

⺊ 占 貞 貞

곧 을 정

烈

一 歹 歹 列 烈

매 울 렬

男

口 田 田 男 男

사 내 남

效

亠 六 交 效 效

본받을 효

才

一 十 才

재 주 재

良

丶 ヨ 良 良 良

어 질 량

知

丿 ⺧ 矢 知 知

알 지

過

冂 冎 咼 過 過

지 날 과

必

丶 ノ 必 必 必

반드시 필

改

ㄱ 己 己 改 改

고 칠 개

得

彳 徂 得 得 得

얻 을 득

能

厶 育 能 能 能

능 할 능

莫

艹 芇 苩 莫 莫

말 막

忘

亠 亡 亡 忘 忘

잊 을 망

女慕貞烈	여자는 정조를 굳게 지키고, 행실을 단정히 해야 한다.
男效才良	남자는 재주를 닦고, 어진 것을 본받아야 한다.
知過必改	사람에게는 누구나 허물이 있으니, 그것을 알면 곧 고쳐야 한다.
得能莫忘	사람으로서 알아야 할 것을 배우면 그것을 잊지 않도록 해야 한다.

罔	談	彼	短
없을 망	말씀 담	저 피	짧을 단
靡	恃	己	長
아닐 미	믿을 시	몸 소 기	긴 장
信	使	可	覆
믿을 신	사신 사	옳을 가	덮을 복
器	欲	難	量
그릇 기	하고자할 욕	어려울 난	헤아릴 량

罔談彼短　자기의 단점을 말하지 않고, 다른 사람의 단점도 말하지 않는다.
靡恃己長　자신의 장점을 말하지 않아야 더욱 발전한다.
信使可覆　믿음은 다른 사람과의 진리이며, 다른 사람과의 약속은 지켜야 한다.
器欲難量　사람의 기량은 깊고도 깊어서 헤아리기가 어렵다.

墨 먹 묵

悲 슬플 비

絲 실 사

染 물들일 염

詩 글 시

讚 칭찬할 찬

羔 염소 고

羊 양 양

景 경치 경

行 다닐 행

維 이을 유

賢 어질 현

剋 이길 극

念 생각 념

作 지을 작

聖 성인 성

墨悲絲染 흰 실에 검은 물이 들면 다시 희지 못함을 슬퍼한다.
詩讚羔羊 시전 고양편에, 문왕의 덕을 입어서 남국 대부가 정직하게 됨을 칭찬하였다.
景行維賢 행실을 훌륭히 하고 당당히 하면 어진 사람이 된다.
剋念作聖 성인의 언행을 유념하여 수양을 쌓으면 성인이 될 수 있다.

德

큰 덕

세울 건

이름 명

立

설 립

形

얼굴 형

端

끝 단

겉 표

正

바를 정

空

빌 공

谷

골 곡

傳

전할 전

聲

소리 성

虛

빌 허

堂

집 당

習

익힐 습

聽

들을 청

德建名立	덕으로써 세상 모든 일을 행하면 자연히 이름도 나게 된다.
形端表正	용모가 단정하고 깨끗하면 마음도 바르며, 또 겉으로 드러난다.
空谷傳聲	산골짜기에서 소리치면 그것은 그대로 전해진다.
虛堂習聽	빈 방에서 소리를 내면 울리어서 다 들린다.

禍
재 화 화

因
인할 인

惡
모질 악

積
쌓을 적

福
복 복

緣
인연 연

善
착할 선

慶
경사 경

尺
자 척

壁
구슬 벽

非
아닐 비

寶
보배 보

寸
마디 촌

陰
그늘 음

是
이 시

競
다툴 경

禍因惡積	재앙은 악을 쌓았기 때문에 일어나는 것이다.
福緣善慶	복은 착한 일에서 연유하니, 착한 일을 하면 경사가 온다.
尺璧非寶	한 자나 되는 구슬이라고 다 보배는 아니다.
寸陰是競	한 치의 시각을 다투는 것이 귀중하다.

자 료 자

아버지부

일 사

임 금 군

가 로 왈

엄 할 엄

더 불 여

공경할경

효 도 효

마땅할당

다 할 갈

力

힘 력

충 성 충

법 칙 칙

다 할 진

목 숨 명

資父事君	부모 섬기는 효도처럼 임금을 섬겨야 한다.
曰嚴與敬	임금을 대하는 데에는 엄숙함과 공경함이 있어야 한다.
孝當竭力	부모를 섬김에는 마땅히 힘을 다해야 한다.
忠則盡命	충성은 곧 목숨을 다 바치는 것이다.

臨	深	履	薄
임할 림	깊을 심	밟을 리	얇을 박

夙	興	温	清
이를 숙	흥할 흥	따뜻할 온	서늘 청

似	蘭	斯	馨
같을 사	난초 란	이 사	꽃다울 형

如	松	之	盛
같을 여	소나무 송	갈 지	성할 성

臨深履薄　깊은 곳에 임하듯, 얇은 데를 밟듯이 하라.

夙興温清　일찍 일어나서 추우면 덥게, 더우면 서늘하게 하여라.

似蘭斯馨　난초와도 같이 꽃답다. 즉, 군자의 지조를 비유한 말이다.

如松之盛　소나무와 같이 변치 않고 성하다. 즉, 군자의 절개를 비유한 말이다.

내 천

흐를 류

아니 불

쉴 식

못 연

맑을 징

취할 취

비칠 영

얼굴 용

그칠 지

같을 약

생각 사

말씀 언

말씀 사

편안 안

정할 정

川流不息　내가 흘러서 쉬지 않는다. 즉, 군자의 행지를 비유한 말이다.
淵澄取暎　못이 밝아서 비춰도다. 즉, 군자의 마음씨를 비유한 말이다.
容止若思　행동은 침착히 하고, 조용히 생각하여라.
言辭安定　태도만 침착하게 할 뿐만 아니라, 말도 또한 안정케 하여라.

篤

두터울독

初

처 음 초

誠

정 성 성

아름다울미

愼

삼 갈 신

終

마지막종

宜

마 땅 의

하여금령

영 화 영

업 업

바 소

터 기

籍

문 서 적

甚

심 할 심

無

없 을 무

竟

마침내경

篤初誠美	무슨 일을 하더라도 처음에 신중히 하여라.
愼終宜令	처음뿐만 아니라, 끝맺음도 좋아야 한다.
榮業所基	위와 같이 잘 지키면 그것은 번성의 기본이 된다.
籍甚無竟	그뿐만 아니라, 자신의 명예로운 이름이 길이 전해지리라.

學	優	登	仕
배울 학	넉넉할 우	오를 등	벼슬 사

攝	職	從	政
잡을 섭	일 직	좇을 종	정사 정

存	以	甘	棠
있을 존	써 이	달 감	아가위 당

去	而	益	詠
갈 거	어조사 이	더할 익	읊을 영

學優登仕　배운 바가 넉넉하면 벼슬길에 오른다.
攝職從政　벼슬을 잡아 정사에 따른다는 마음으로 정치에 참여한다.
存以甘棠　주나라의 소공이 아가위나무 아래에서 백성을 교화하였다.
去而益詠　소공이 죽자 남국의 백성이 그 덕을 기리어 감당시를 읊었다.

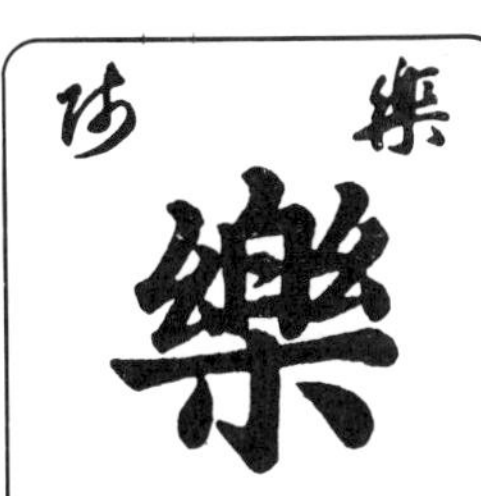

즐 길 락

殊

다 를 수

貴

귀 할 귀

천 할 천

禮

예 도 례

다 를 별

높 을 존

낮 을 비

윗 상

和

화 할 화

아 래 하

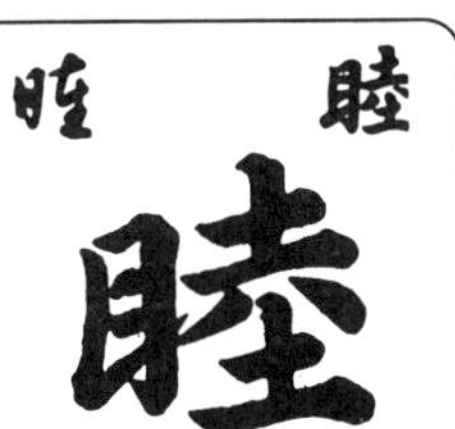

화 목 할 목

夫

남 편 부

唱

부 를 창

아 내 부

따 를 수

樂殊貴賤 풍류는 그 귀천이 다르다. 즉, 천자와 제후, 사대부가 각각 다르다.

禮別尊卑 예의와 존비의 분별이 있다. 즉, 군신·부자·부부·장유·붕우간에는 차별이 있다.

上和下睦 위에서 사랑하고, 아래에서 공경함으로써 화목하게 된다.

夫唱婦隨 지아비가 부르면 지어미가 따른다. 즉, 원만한 가정을 뜻한다.

밖 외

받을 수

스승 부

가르칠 훈

들 입

받들 봉

어미 모

거동 의

諸

言 計 誅 諸 諸

모두 제

姑

く 女 女 女 姑

고모 고

伯

亻 亻 亻 伯 伯

맏 백

叔

上 于 未 叔 叔

아저씨 숙

猶

ノ 犭 犭 猶 猶

같을 유

子

了 了 子

아들 자

比

一 ト 上 上 比

견줄 비

兒

「 F 臼 臼 兒

아이 아

外受傳訓	나이가 차면 밖에 나아가 스승의 가르침을 받아야 한다.
入奉母儀	집에 들어서는 어머니를 받들어 거동해야 한다.
諸姑伯叔	고모와 백부, 숙부 들은 모두 친척이다.
猶子比兒	조카들도 자기 아이들과 같이 대해야 한다.

孔	懷	兄	弟
구멍 공	품을 회	맏 형	아우 제
同	氣	連	枝
한가지 동	기운 기	연할 련	가지 지
交	友	投	分
사귈 교	벗 우	던질 투	나눌 분
切	磨	箴	規
짜를 절	갈 마	경계 잠	법 규

孔懷兄弟 형제는 서로 사랑하여 의좋게 지내야 한다.
同氣連枝 형제는 부모의 정기를 함께 받았으니, 이는 나무의 가지와도 같다.
交友投分 사귀는 벗은 서로 분에 맞는 사람끼리라야 한다.
切磨箴規 열심히 닦고 배워서 사람으로서의 도리를 지켜야 한다.

仁	慈	隱	惻
어 질 인	인 자 할 자	숨 을 은	슬 플 측
造	次	弗	離
지 을 조	버 금 차	아 닐 불	떠 날 리
節	義	廉	退
마 디 절	옳 을 의	청 렴 렴	물러갈 퇴
顚	沛	匪	虧
기울어질 전	자 빠 질 패	아 닐 비	이지러질 휴

仁慈隱惻　어진 마음으로써 다른 사람을 사랑하고 측은하게 여겨라.

造次弗離　항상 다른 사람을 동정하는 마음을 지녀라.

節義廉退　절개, 의리, 청렴과 물러감(사양함)을 지켜야 한다.

顚沛匪虧　엎어지고 자빠져도 이지러지는 것은 아니다.

한자	필순	훈음
性	丶 忄 忙 性 性	성 품 성
靜	靑 靑 靜 靜 靜	고 요 정
情	丶 忄 忄 情 情	뜻 정
 逸	免 免 兔 逸 逸	편안할일
 心	丶 心 心 心	마 음 심
 動	㐭 重 重 動 動	움직일동
 神	二 亍 示 神 神	귀 신 신
 疲	广 疒 疒 疒 疲	가 쁠 피
 守	丶 宀 宀 守 守	지 킬 수
 眞	一 旨 旨 直 眞	참 진
志	一 十 士 志 志	뜻 지
滿	浐 浒 淸 滿 滿	찰 만
逐	豕 豕 豕 豕 逐	쫓 을 축
物	牛 牛 牛 物 物	만 물 물
意	立 音 音 意 意	뜻 의
移	二 禾 秒 秒 移	옮 길 이

性靜情逸 성품이 고요하면 뜻이 편안하다.
心動神疲 마음이 움직이면 신기도 피곤하다.
守眞志滿 사람의 도리를 지키면 뜻이 충만하다.
逐物意移 물건을 탐내어 욕심이 많으면 마음도 변한다.

堅 堅

堅

丨 𠃜 臣 臤 堅

굳 을 견

持 持

持

扌 扌 持 持 持

가 질 지

雅 雅

雅

匚 牙 邪 邪 雅

맑 을 아

操 操

操

扌 扌 护 撮 操

지 조 조

好 好

好

人 女 女 好 好

좋 을 호

爵 爵

爵

爫 爵 爵 爵 爵

벼 슬 작

自 自

自

丿 白 自 自

스 스 로 자

靡 靡

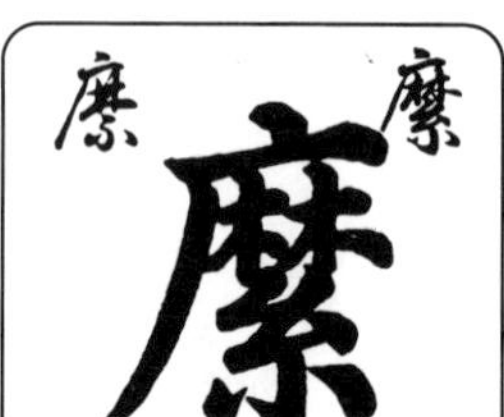

广 厂 麻 靡 靡

얽 을 미

都 都

都

土 耂 者 都 都

도 읍 도

邑 邑

邑

口 吕 吕 邑 邑

고 을 읍

華 華

艹 艹 芏 華 華

빛 날 화

夏 夏

一 百 百 夏 夏

여 름 하

東 東

冂 百 車 東 東

동 녘 동

西 西

西

一 冂 丙 西 西

서 녘 서

二 二

一 二

두 이

京 京

亠 亠 亡 京 京

서 울 경

堅持雅操 맑은 절조를 굳게 지키면 도리도 극진하다.
好爵自縻 벼슬을 얻어 천작을 극진히 하면 인작이 스스로 이르게 된다.
都邑華夏 도읍은 왕성의 지위를, 화하는 당시의 중국을 가리킨다.
東西二京 동과 서에는 두 서울이 있다. 즉, 동경은 낙양이고, 서경은 장안이다.

背	邙	面	洛
背	邙	面	
등 배	터 망	낯 면	낙수 락
	渭	據	涇
뜰 부	위수 위	웅거할 거	경수 경
宮	殿	盤	鬱
집 궁	대궐 전	서릴 반	답답 울
樓	觀	飛	驚
다락 루	볼 관	날 비	놀랄 경

背邙面洛　동경의 북에는 북망산이 있고, 낙양의 남에는 낙천이 있다.

浮渭據涇　위수에 뜨고, 경수에 웅거했다. 즉, 장안의 서북에는 위천과 경수의 두 물이 있었다.

宮殿盤鬱　궁전은 울창한 나무 사이에 서린 듯이 정하였다.

樓觀飛驚　전망대는 높아서 올라가면 나는 듯이 놀라게 된다.

圖 — 그 림 도

寫 — 베 낄 사

禽 — 새 금

獸 — 짐 승 수

畫 — 그 림 화

綵 — 채 색 채

仙 — 신 선 선

靈 — 신 령 령

丙 — 남 녘 병

舍 — 집 사

傍 — 곁 방

啓 — 열 계

甲 — 갑 옷 갑

帳 — 장 막 장

對 — 대 답 대

楹 — 기 둥 영

圖寫禽獸	화가들이 새와 짐승을 그리고 베끼었다.
畫綵仙靈	신선과 신령의 그림도 채색되었다.
丙舍傍啓	병사 곁에 통고를 열었다. 즉, 궁전을 출입하는 사람들의 편의를 도모했다.
甲帳對楹	갑장이 기둥을 대하였다. 즉, 동방삭이 갑장을 지어서 임금이 잠시 머무르게 하였다.

肆 베풀 사

筵 자리 연

設 베풀 설

席 자리 석

鼓 북 고

瑟 비파 슬

吹 불 취

笙 저 생

陞 오를 승

階 뜰 계

納 바칠 납

陛 섬돌 폐

弁 고깔 변

轉 구를 전

疑 의심할 의

星 별 성

肆筵設席	자리를 베풀고, 돗을 베풀었다. 즉, 연회하는 곳이다.
鼓瑟吹笙	비파를 치고, 저를 불었다. 즉, 잔치를 베풀었다.
陞階納陛	계단을 올라서 물건을 바치었다. 즉, 문무백관이 임금께 납폐하였다.
弁轉疑星	고깔에서 구르니 별인 듯 의심하였다. 즉, 관에서 번쩍이는 구슬이 마치 별과도 같았다.

右	通	廣	内
오른 우	통할 통	넓을 광	안 내

左	達	承	明
왼 좌	통달할 달	이을 승	밝을 명

既	集	墳	典
이미 기	모을 집	무덤 분	법 전

亦	聚	群	英
또 역	거둘 취	무리 군	꽃부리 영

右通廣内 오른쪽에는 광내가 통하였다. 광내는 나라의 비서를 두는 집이다.

左達承明 왼편에는 승명이 통달하였다. 승명은 사기를 교열하는 집이다.

既集墳典 이미 분과 전을 모았다. 삼황의 글은 삼분이고, 오제의 글은 오전이다.

亦聚群英 또한 여러 영웅들도 모았다.

杜	稾	鍾	隷
막을 두	짚 고	쇠북 종	글씨 예
漆	書	壁	經
옻칠 칠	글 서	벽 벽	글 경
府	羅	將	相
마을 부	벌 라	장수 장	서로 상
路	俠	槐	卿
길 로	낄 협	삼공 괴	벼슬 경

杜稾鍾隷 두고와 종례의 글도 비치되었다. 두고는 초서를 처음으로 썼고, 종례는 예서를 처음으로 썼다.

漆書壁經 서골과 육경도 비치되었다. 서골은 한나라 영제가 돌벽에서 발견했고, 육경은 공자가 발견하였다.

府羅將相 마을 좌우에는 장수와 정승이 벌려 서 있었다.

路俠槐卿 길에 고관인 삼공 구경이 마차를 타고 궁전으로 들어가는 모습이다.

戶 문 호

封 봉할 봉

八 여덟 팔

縣 고을 현

家 집 가

給 줄 급

千 일천 천

兵 군사 병

高 높을 고

冠 갓 관

陪 모실 배

輦 연 련

驅 몰 구

轂 바퀴 곡

振 떨칠 진

纓 끈 영

戶封八縣 여덟 고을 민호를 주어서 공신을 봉하였다.
家給千兵 일천 군사를 주어서 그 집을 호위하였다.
高冠陪輦 높은 관을 쓰고, 연을 모시었다. 즉, 제후의 예로 대접하였다.
驅轂振纓 수레를 모는데 갓끈이 흔들렸다. 즉, 임금 출행에 제후의 위엄이 있다.

世	인 간 세
祿	녹 록
侈	사 치 할 치
富	부 자 부
車	수 레 거
駕	멍 에 가
肥	살 찔 비
輕	가 벼 울 경
策	꾀 책
功	공 공
茂	무 성 할 무
實	열 매 실
勒	굴 레 륵
碑	비 석 비
刻	새 길 각
銘	새 길 명

世祿侈富 대대로 녹이 사치하고, 부하였다. 즉, 제후 자손이 세세 관록을 상전하였다.
車駕肥輕 수레를 끄는 말은 살찌고, 멍에는 가벼웠다.
策功茂實 공을 도모함에 무성하고, 충실하였다.
勒碑刻銘 비석에 그 이름을 새기어 그 공을 전하였다.

磻	溪	伊	尹
돌　반	시 내 계	저　이	다스릴윤

佐	時	阿	衡
도 울 좌	때　시	언 덕 아	저울대형

奄	宅	曲	阜
오 랠 엄	집　택	굽 을 곡	언 덕 부

微	旦	孰	營
작 을 미	아 침 단	누 구 숙	경 영 영

磻溪伊尹 문왕은 반계에서 강태공을 맞고, 은왕은 신야에서 이윤을 맞았다.

佐時阿衡 때를 돕는 아형이다. 아형은 상나라 재상의 칭호이다.

奄宅曲阜 주공이 공을 보답하는 마음으로 노국을 봉한 후, 곡부에 궁전을 세웠다.

微旦孰營 단이 아니면 누구를 위하여 궁전을 세웠으랴.

桓	公	匡	合
굳셀 환	귀 공	바를 광	모을 합
濟	弱	扶	傾
건질 제	약할 약	붙들 부	기울 경
綺	回	漢	惠
비단 기	돌아올 회	나라 한	은혜 혜
說	感	武	丁
말씀 설	느낄 감	호반 무	장정 정

桓公匡合 환공은 바르게 하고 모았다. 즉, 초를 물리치고, 난을 평정하였다.
濟弱扶傾 약한 나라를 구제하고, 기우는 제신을 도왔다.
綺回漢惠 현인의 한 사람인 기가 한나라의 혜제를 회복시켰다.
說感武丁 부열이 역사하매 무정의 꿈에 감동되어 정승을 삼았다.

俊	乂	密	勿
준 걸 준	재 주 예	빽빽할 밀	말 물

多	士	寔	寧
많을 다	선 비 사	이 식	편 안 녕

晉	楚	更	霸
나 라 진	나 라 초	다 시 갱	으 뜸 패

趙	魏	困	橫
나 라 조	나 라 위	곤 할 곤	비 낄 횡

俊乂密勿 준걸과 재사가 모여서 빽빽하였다.
多士寔寧 선비들이 많아서 나라가 안녕하였다.
晉楚更霸 진과 초가 다시 패권을 쥐었다. 즉, 진문공과 초장왕이 패왕이 되었다.
趙魏困橫 조와 위는 횡에 곤하였다. 즉, 육국 때에 진나라를 섬기자 함을 횡이라 했다.

假	途 	滅	虢
거 짓 가	길 도	멸 할 멸	나 라 괵

踐 	土	會 	盟
밟 을 천	흙 토	모 일 회	맹 세 맹

何	遵	約	法
어 찌 하	좇 을 준	언 약 약	법 법

韓	弊	煩	刑
나 라 한	해 칠 폐	번거로울 번	형 벌 형

假途滅虢 길을 빌어서 괵국을 멸하였다. 즉, 진헌공이 우국길을 빌어 괵국을 멸하였다.

踐土會盟 천토에 모아 맹세하였다. 즉, 진문공이 제후를 천토에 모아 맹세하고, 협천자영 제후했다.

何遵約法 소하는 한고조와 더불어 약법 삼장을 정하여 준행하였다.

韓弊煩刑 한비는 진왕을 달래어 형벌을 내리다가 그 형벌로써 죽었다.

起	翦	頗	牧
土 丰 走 起 起	䒑 前 前 翦 翦	丿 厂 皮 頗 頗	牛 牛 牛 牧 牧
일어날기	자를 전	치우칠파	칠 목

用	軍	最	精
丿 冂 月 月 用	冖 冐 冒 軍 軍	日 旦 最 最 最	丷 米 精 精 精
쓸 용	군사 군	가장 최	정교할정

宣	威	沙	漠
宀 宀 宣 宣 宣	丿 威 威 威 威	氵 沙 沙 沙 沙	氵 漠 漠 漠 漠
베풀 선	위엄 위	모래 사	아득할막

馳	譽	丹 	青
馬 馬 馳 馳 馳	與 與 與 與 譽	丿 冂 冂 丹	十 青 青 青 青
달릴 치	기릴 예	붉을 단	푸를 청

起翦頗牧　백기와 왕전은 진의 장수이고, 염파와 이목은 조의 장수였다.
用軍最精　군사 쓰기를 가장 정성되이 하였다.
宣威沙漠　위엄이 멀리 사막에까지도 선양되었다.
馳譽丹青　명예는 길이 전하기 위하여 그 초상을 기린각에 그렸다.

九	州	禹	跡
아 홉 구	고 을 주	임 금 우	자 취 적

百	郡	秦	并
일 백 백	고 을 군	나 라 진	아 우 를 병

嶽	宗	恒	岱
큰 산 악	근 본 종	항 상 항	메 대

禪	主	云	亭
터 닦 을 선	임 금 주	이 를 운	정 자 정

九州禹跡 하우씨가 구주를 분별하였다. 구주는 기·연·청·서·양·형·예·옹·동이다.
百郡秦并 진시황이 천하 봉군하는 법을 폐하고, 일백 군을 두었다.
嶽宗恒岱 오악은 항산과 태산이 조종이다. 오악은 동태·서화·남형·북항·중숭산이다.
禪主云亭 운과 정은 천자를 봉선하고 제사하는 곳이었다. 운정은 태산에 있다.

기러기안

문 문

자주색자

변 방 새

鷄

닭 계

田

밭 전

赤

붉을적

재 성

昆

맏 곤

池

못 지

碣

돌 갈

石

돌 석

鉅

톱 거

野

들 야

洞

골 동

庭

뜰 정

雁門紫塞　기러기가 북으로 가는 고로 안문이라 했고, 흙이 붉은 고로 자색이라 했다.
鷄田赤城　계전은 옹주에 있고, 적성은 기주에 있다.
昆池碣石　곤지는 운남 곤명에 있고, 갈석은 부평에 있다.
鉅野洞庭　거야는 태산 동쪽에 있는 광야이고, 동정은 호남성에 있는 중국 제일의 호수이다.

曠	遠	綿	邈
빌 광	멀 원	솜 면	멀 막

巖	峀	杳	冥
바 위 암	메뿌리수	아득할묘	어두울명

治	本	於	農
다스릴치	근 본 본	늘 어	농 사 농

務	玆	稼	穡
힘 쓸 무	이 자	심 을 가	거 둘 색

曠遠綿邈　광야는 아득히 멀리 솜처럼 줄지어 있다.

巖峀杳冥　큰 바위와 메뿌리가 묘연하고 아득하다.

治本於農　나라 다스리는 근본은 농사이다. 즉, 중농 정치를 뜻한다.

務玆稼穡　때를 놓치지 말고 심고 거두는 데에 힘써야 한다.

俶	載	南	畝
비로소 숙	실을 재	남녘 남	이랑 묘
 我	 藝	 黍	 稷
나 아	재주 예	기장 서	피 직
稅	熟	貢	新
부세 세	익힐 숙	바칠 공	새 신
勸	賞	黜	 陟
권할 권	상줄 상	내칠 출	오를 척

俶載南畝 비로소 남양의 밭에서 농작물을 기른다.

我藝黍稷 나는 기장과 피를 심는 농사일에 정성을 다하겠다.

稅熟貢新 곡식이 익으면 세를 내고, 새로운 곡식으로 종묘에 제사를 올린다.

勸賞黜陟 열심히 일한 자에게는 상을 주고, 게을리한 자는 출척했다.

孟	軻	敦	素
맏 맹	수레 가	두터울 돈	흴 소

史	魚	秉	直
사기 사	물고기 어	잡을 병	곧을 직

庶	幾	中	庸
여럿 서	얼마 기	가운데 중	떳떳 용

勞	謙	謹	勅
수고할 로	겸손 겸	삼갈 근	칙서 칙

孟軻敦素 맹자는 그 어머니의 교훈을 받아 자사 문하에서 배웠다.
史魚秉直 사어는 그 성격이 매우 강직하였다. 사어는 위나라의 태부였다.
庶幾中庸 어떤 일이든 한쪽으로 기울어지도록 하면 안 된다.
勞謙謹勅 근로하고 겸손하며, 삼가고 신칙해야 한다.

聆	音	察	理
들을 령	소리 음	살필 찰	도리 리
鑑	貌	辨	色
거울 감	모양 모	분별할 변	빛 색
貽	厥	嘉	猷
끼칠 이	그 궐	아름다울 가	꾀 유
勉	其	祗	植
힘쓸 면	그 기	공경 지	심을 식

聆音察理 소리를 듣고, 거동을 살펴 주의해야 한다.
鑑貌辨色 모양과 거동으로써 그 사람의 마음씨를 분별한다.
貽厥嘉猷 착한 일을 하여 자손에게 아름다운 것을 남겨야 한다.
勉其祗植 착한 것을 자손에게 줄 것을 힘써야 좋은 가정을 이룬다.

省	躬	譏	誡
살필 성	몸 궁	나무랄 기	경계 계

寵	增	抗	極
사랑할 총	더할 증	겨룰 항	극진할 극

殆	辱	近	恥
위태 태	욕할 욕	가까울 근	부끄러울 치

林	皐	幸	即
수풀 림	언덕 고	다행 행	곧 즉

省躬譏誡 기롱과 경계함이 있는지를 염려하여 몸을 살펴라.
寵增抗極 총애가 더할수록 교만하지 말고 더욱 극진해야 한다.
殆辱近恥 총애를 받는다고 욕된 일을 하면 멀지 않아 위태로움과 치욕이 온다.
林皐幸即 산간 수풀에서 사는 것도 바로 다행스런 일이다.

兩	疏	見	機
두 량	성길 소	볼 견	틀 기

解	組	誰	逼
풀 해	짤 조	누구 수	핍박할 핍

索	居	閑	處
찾을 색	살 거	한가 한	곳 처

沈	默	寂	寥
잠길 침	잠잠할 묵	고요할 적	쓸쓸할 료

兩疏見機 한나라의 소광과 소수는 기틀을 본 후에 상소하였다.
解組誰逼 관의 끈을 풀고(즉, 사직하고) 돌아가니 누가 핍박하리오.
索居閑處 퇴직하여 한가로이 살 곳을 찾아 세상을 보낸다.
沈默寂寥 언행은 잠잠하고도 고요하게 해야 한다.

求	古	尋	論
一 寸 才 求 求	一 十 古 古 古	ㄱ 글 쿡 尋 尋	言 訡 詥 論 論
구할 구	예 고	찾을 심	의론 론

散	慮	逍	遙
艹 昔 昔 散 散	广 虍 慮 慮 慮	丨 小 肖 消 逍	夕 夂 岳 遙 遙
흩을 산	생각 려	노닐 소	멀 요

欣	奏	累	遣
厂 斤 斤 欣 欣	三 夫 夫 奏 奏	四 田 累 累 累	中 冉 貴 遣 遣
기쁠 흔	아뢸 주	여러 루	보낼 견

感	謝	歡	招
厂 后 咸 咸 感	言 訁 詣 謝 謝	艹 芦 萑 雚 歡	丨 扌 扌 招 招
슬플 척	사례 사	즐길 환	부를 초

求古尋論　옛일을 찾아 의론하려면 고인을 찾아 토론해야 한다.
散慮逍遙　세상일을 잊고, 자연 속에서 한가로이 노닌다.
欣奏累遣　기쁜 일은 아뢰고, 더러움은 보내어라.
感謝歡招　슬픈 것은 보내고, 즐거움은 부른다.

渠 渠

氵 氵 洰 渠 渠

개 천 거

荷 荷

一 艹 苻 荷 荷

연 하

的 的

的

′ 白 白 的 的

과 녁 적

歷 歷

厂 厈 厤 厯 歷

지 낼 력

園 園

園

冂 冃 圊 園 園

동 산 원

莽 莽

莽

艹 芏 茓 莽 莽

풀 망

抽 抽

抽

扌 扌 扣 抽 抽

빼 낼 추

條 條

條

亻 仢 攸 條 條

가 지 조

枇 枇

枇

十 木 朼 枇 枇

나 무 비

杷 杷

杷

十 朩 杷 杷 杷

나 무 파

晩 晩

晩

日 日 晩 晩 晩

늦 을 만

翠 翠

翠

习 羽 翠 翠 翠

푸 를 취

梧 梧

梧

木 杆 梧 梧 梧

오 동 오

桐 桐

桐

木 桐 桐 桐 桐

오 동 동

早 早

早

丨 口 日 旦 早

이 를 조

凋 凋

凋

冫 冫 冂 凋 凋

마 를 조

渠荷的歷 개천의 연꽃도 아름다우니, 향기 또한 잡아 볼 만하다.
園莽抽條 동산의 풀은 땅 속의 양분으로 가지가 뻗고 자란다.
枇杷晩翠 비파나무는 철이 늦어도 그 빛이 푸르다.
梧桐早凋 오동나무는 다른 나무보다 먼저 마른다.

陳 베 풀 진	根 뿌 리 근	委 맡 길 위	翳 가 릴 예
 떨어질락	葉 잎 사 귀 엽	飄 날 릴 표	 날 릴 요
遊 놀 유	鯤 고 니 곤	獨 홀 로 독	運 운 전 운
凌 업신여길 릉	摩 문 지 를 마	絳 붉 을 강	 하 늘 소

陳根委翳　가을이 오면 오동뿐만 아니라, 고목의 뿌리도 시들어 마른다.
落葉飄颻　가을이 오면 낙엽이 펄펄 날리며 떨어진다.
遊鯤獨運　곤어는 큰 고기이므로 홀로 헤엄쳐서 논다.
凌摩絳霄　곤어가 봉새로 화하여 구천에 이른다. 즉, 사람의 운수를 뜻한다.

즐길 탐

읽을 독

탐할 완

저자 시

붙일 우

目

눈 목

囊

주머니 낭

箱

상자 상

쉬울 이

輶

가벼울 유

攸

바 유

畏

두려울 외

屬

붙을 속

耳

귀 이

垣

담 원

墻

담 장

耽讀翫市	한나라의 왕충은 독서를 즐겨서 시장에서도 책을 보았다.
寓目囊箱	글을 한 번 읽으면 주머니나 상자 속에 둠과 같이 잊지를 않았다.
易輶攸畏	군자는 가볍게 움직이고 말하는 것을 두려워한다.
屬耳垣墻	벽에도 귀가 있는 듯이, 경솔히 말하는 것을 조심하여라.

親 親 **親** 亠 辛 亲 䙺 親 친할 친	戚 戚 **戚** 丿 厈 厏 戚 戚 겨레 척	故 故 **故** 十 古 㕣 故 故 연고 고	舊 舊 **舊** 艹 萑 舊 舊 舊 옛 구
 十 土 耂 考 老 늙을 로	 亅 小 小 少 젊을 소	 冂 田 畀 異 異 다를 이	 米 粐 粡 糧 糧 양식 량
 亠 立 妾 妾 妾 첩 첩	御 御 **御** 彳 彳 徍 御 御 모실 어	績 績 **績** 糸 糸 紅 績 績 길쌈 적	紡 紡 **紡** 糸 糸 紡 紡 紡 길쌈 방
侍 侍 **侍** 亻 仕 仕 侍 侍 모실 시	巾 巾 **巾** 丨 冂 巾 수건 건	帷 帷 **帷** 口 巾 帷 帷 帷 장막 유	房 房 **房** 厂 戶 戶 房 房 방 방

親戚故舊 친은 동성지친이고, 척은 이성지친이며, 옛 친구이다.
老少異糧 늙은이와 젊은이의 식사는 다르다.
妾御績紡 여자는 집안에서 길쌈을 짜며 어른을 모신다.
侍巾帷房 유방에 모시고, 수건을 받들어 시중을 든다.

具	膳	飱	飯
갖출 구	반찬 선	밥 손	밥 반

適	口	充	腸
마침 적	입 구	채울 충	창자 장

飽	飫	烹	宰
배부를 포	배부를 어	삶을 팽	재상 재

飢	厭	糟	糠
주릴 기	싫을 염	재강 조	겨 강

具膳飱飯 반찬을 갖추고서 밥을 먹어라.

適口充腸 훌륭한 음식이 아닐지라도 입에 맞으면 배를 채워라.

飽飫烹宰 배가 부를 때에는 제아무리 좋은 음식이라도 그 맛을 모른다.

飢厭糟糠 배가 고플 때에는 겨와 재강이라도 맛이 있다.

紈
김 환

부채 선

둥글 원

맑을 결

銀
은 은

촛불 촉

빛날 위

煌
빛날 황

晝
낮 주

眠
잘 면

저녁 석

잘 매

藍
쪽 람

筍
대순 순

象
코끼리 상

상 상

紈扇圓潔	김부채는 둥글고도 깨끗하다.
銀燭煒煌	은촛대의 촛불은 빛나서 휘황하다.
晝眠夕寐	낮에는 낮잠을 자고, 저녁에는 일찍 잔다.
藍筍象床	푸른 대순과 코끼리 상이다. 즉, 한가로운 사람의 침상을 뜻한다.

絃	歌	酒	讌
줄 현	노래 가	술 주	잔치 연
接	杯	擧	觴
이을 접	잔 배	들 거	잔 상
矯	手	頓	足
들 교	손 수	두드릴 돈	발 족
悅	豫	且	康
기쁠 열	미리 예	또 차	편안 강

絃歌酒讌 거문고를 타며, 술과 노래로써 잔치를 한다.
接杯擧觴 작고 큰 술잔을 서로 주고 받으며 즐긴다.
矯手頓足 손을 들고 발을 구르며 춤을 춘다.
悅豫且康 이와 같이 마음 편안히 즐기고 살면 단란한 가정이다.

嫡 맏 적	後 뒤 후	嗣 이을 사	續 이을 속
祭 제사 제	 祀 제사 사	蒸 찔 증	 嘗 맛볼 상
稽 조아릴 계	顙 이마 상	再 둘 재	拜 절 배
悚 두려울 송	懼 두려울 구	恐 두려울 공	惶 두려울 황

嫡後嗣續 적실(즉, 장남)은 후에 계승하여 대를 잇는다.

祭祀蒸嘗 제사를 지내되 겨울 제사는 증이라 하고, 가을 제사는 상이라 한다.

稽顙再拜 이마를 조아려 조상님께 두 번 절한다.

悚懼恐惶 송구스럽고도 공황하니 두려움이 지극하다.

牋	牒	簡	要
편 지 전	편 지 첩	편 지 간	구 할 요

顧	答	審	詳
돌아볼고	대 답 답	살 필 심	자세할상

骸	垢	想	浴
뼈 해	때 구	생각할상	목욕할욕

執	熱	願	涼
잡 을 집	뜨거울열	원 할 원	서늘할량

牋牒簡要　글과 편지는 간략해야 한다.
顧答審詳　편지의 회답은 잘 알 수 있게 자세하게 써야 한다.
骸垢想浴　몸에 때가 끼면 목욕할 생각을 하여라.
執熱願涼　날이 더우면 서늘하기를 바라게 된다.

驢	騾	犢	特
나 귀 려	노 새 라	송아지독	특 별 특
駭	躍	超	驤
놀 랄 해	뛸 약	뛰어넘을 초	달 릴 양
誅	斬	賊	盜
벨 주	벨 참	도 적 적	도 적 도
捕	獲	叛	亡
잡 을 포	얻 을 획	배반할 반	잊 을 망

驢騾犢特 나귀와 노새와 송아지, 즉 가축을 뜻한다.
駭躍超驤 뛰고 노는 가축을 뜻한다.
誅斬賊盜 역적과 도둑은 베어서 물리쳐야 한다.
捕獲叛亡 배반하고 도망치는 사람은 잡아서 죄를 다스려야 한다.

布 베 포

射 쏠 사

遼 멀 료

丸 탄자 환

嵇 메 혜

琴 거문고 금

阮 성 완

嘯 휘파람 소

恬 편안 염

筆 붓 필

倫 인륜 륜

紙 종이 지

鈞 무게단위 균

巧 공교할 교

任 맡길 임

釣 낚시 조

布射遼丸 한나라의 여포는 활을 잘 쏘았고, 의료는 탄자를 잘 던지었다.

嵇琴阮嘯 위나라의 혜강은 거문고를 잘 탔고, 완적은 휘파람을 잘 불었다.

恬筆倫紙 진나라의 봉념은 토끼털로써 붓을 만들었고, 후한의 채륜은 종이를 만들었다.

鈞巧任釣 위나라의 마균은 지남거를 만들었고, 전국 시대의 임공자는 낚시를 만들었다.

釋	풀을 석
紛	어지러울 분
利	이할 리
俗	풍속 속
竝	아우를 병
皆	다 개
佳	아름다울 가
妙	묘할 묘
毛	털 모
施	베풀 시
淑	맑을 숙
姿	모양 자
工	장인 공
嚬	찡그릴 빈
姸	고을 연
笑	웃음 소

釋紛利俗　위의 여덟 사람은 재주를 다하여 어지러움을 풀고 풍속을 이롭게 하였다.

竝皆佳妙　그 모두가 아름다우면서도 묘한 재주였다.

毛施淑姿　오나라의 모타라는 여자와 월나라의 서시라는 여자는 둘 다 정숙하고 아름다왔다.

工嚬姸笑　웃는 모습 또한 곱고도 아름다왔다.

年	矢	每	催
해 년	살 시	매양 매	재촉 최

羲	暉	朗	曜
햇빛 희	빛날 휘	밝을 랑	빛날 요

璇	璣	懸	斡
옥 선	구슬 기	달 현	돌 알

晦	魄	環	照
그믐 회	넋 백	고리 환	비칠 조

年矢每催 세월이 화살과도 같이 빠름을 뜻한다.
羲暉朗曜 태양빛과 달빛이 온 세상을 비추어 만물에 혜택을 준다.
璇璣懸斡 선기는 천기를 보는 기구인데, 높이 달려서 도는 것이다.
晦魄環照 달이 고리와 같이 돌며, 천지를 비치는 것을 말한다.

指	薪	修	祐
指 指	薪 薪	脩 脩	祐 祐
扌 扌 扩 扸 指	艹 茳 䔾 薪 薪	亻 亻 攸 修 修	礻 礻 祊 祐 祐
손가락지	나 무 신	닦 을 수	도 울 우

永	綏	吉	邵
永 永	綏 綏	吉 吉	劭 劭
丶 亅 刁 永 永	幺 糸 綏 綏 綏	十 士 吉 吉 吉	刀 召 召 邵 邵
길 영	편 안 유	길 할 길	높 을 소

矩	步	引	領
矩 矩	步 步	引 引	領 領
𠂉 乍 矢 矩 矩	丨 卜 止 步 步	㇆ 弓 弓 引	𠆢 令 領 領 領
법 구	걸 음 보	끌 인	차지할령

俯	仰	廊	廟
俯 俯	仰 仰	廊 廊	廟 廟
亻 仁 俯 俯 俯	丿 亻 仰 仰 仰	广 广 庐 廊 廊	广 广 庐 廟 廟
구부릴부	우러를앙	행 랑 랑	사 당 묘

指薪修祐 불타는 나무와 같이 정열로써 수양하면 복을 얻는다.
永綏吉邵 영구히 편안하고, 길함이 높게 된다.
矩步引領 걸음걸이가 바르고, 얼굴도 바르니 위의가 엄숙하다.
俯仰廊廟 항상 남묘에 있듯이 머리를 숙여 우러러라.

束	帶	矜	莊
묶을 속	띠 대	자랑 긍	엄숙할 장

徘	徊	瞻	眺
배회 배	배회 회	볼 첨	볼 조

孤	陋	寡	聞
외로울 고	더러울 루	적을 과	들을 문

愚	蒙	等	誚
어리석을 우	어릴 몽	무리 등	꾸짖을 초

束帶矜莊 허리띠를 단정케 함으로써 씩씩함을 자랑한다.

徘徊瞻眺 같은 장소를 배회하며 두루 살펴 본다.

孤陋寡聞 배운 것은 고루하고, 들은 것은 적다.

愚蒙等誚 작고도 어리석어서 몽매함을 면치 못한다는 뜻이다.

謂 — 言 訁 訁 謂 謂 — 이를 위

語 — 言 訁 語 語 語 — 말씀 어

助 — 冂 月 且 盯 助 — 도울 조

者 — 土 耂 者 者 者 — 놈 자

焉 — 丅 正 焉 焉 焉 — 어찌 언

哉 — 土 吉 哉 哉 哉 — 어조사 재

乎 — 一 丷 乎 乎 — 온 호

也 — ㇆ 乜 也 — 어조사 야

萬曆十一年正月 日副司果臣韓濩奉
教書 二十九年辛丑七月日內府開刊

謂語助者 어조는 한문의 조사, 즉 다음 글자를 이른다.
焉哉乎也 언·재·호·야는 즉 어조사이다.

原本解說 明心寶鑑

1. 繼善篇(계선편) — 끊임없는 선행(善行)

● 사람은 누구나 착한 일을 행하여 자기 자신을 높게 발전시키지 않으면 안 된다. 신(神)은 우리에게 충분한 선(善)을 준 것은 아니다. 그것은 다만 우리가 올바르게 살 수 있는 가능성을 보증하였을 뿐인 것이다. 그러므로, 누구나 자기의 힘으로 자기를 더욱 좋게 이끌어가기에 노력하지 않으면 안 된다. 그 목적을 달성하는 것이 인생이다.

— I. 칸트

자 왈 위선자 천보지이복 위불선
子가 曰, 爲善者는 天報之以福하고 爲不善
자 천보지이화
者는 天報之以禍니라.

[해설] 공자가 말하기를, 착한 일을 하는 사람에게는 하늘이 복(福)을 주고, 악한 일을 하는 사람에게는 하늘이 화(禍)를 내릴 것이라고 하였다.

참고 공자(孔子; B.C. 552～479): 중국 춘추(春秋) 시대 노(魯)나라의 대철학자로, 유가(儒家)의 개조(開祖)이다. 그는 인(仁)을 이상(理想)의 도덕이라 하여, 효제(孝悌)·충서(忠恕)로써 이상을 이루는 근거로 삼고, 인간 사회에 있어서의 가족 생활의 윤리가 국가·천하를 평정하는 원리라고 하였다. 그의 제자들이 공자의 언행(言行)을 기록한 〈논어(論語)〉 7권이 있다.

한소열 장종 칙후주왈 물이선소이불
漢昭烈이 將終에 勅後主曰, 勿以善小而不
위 물이악소이위지
爲하고 勿以惡小而爲之하라.

[해설] 한나라의 소열제(昭烈帝)가 임종 때에 아들 후주에게 말하기를, 착한 일이면 작다고 해서 아니 하지 말고, 악한 것이면 작더라도 하지 말라고 하였다.

참고 한 소열(漢昭烈; 161～223, 재위 221～223): 중국 삼국 시대 촉한(蜀漢)의 시조로, 성은 유(劉), 이름은 비(備), 자는 현덕(玄德)이며, '소열'은 시호이다. 그는 제갈 공명(諸葛孔明)·관우(關羽)·장비(張飛)를 채용하여 조조(曹操)·손권(孫權)과 천하를 3분, 촉한을 세웠으나, 후에 오(吳)나라 토벌에 패하여 사망했다.

장자　　왈　일일불념선　제악　개자
莊子가 曰, 一日不念善이면 諸惡이 皆自

기
起니라.

[해설] 장자가 말하기를, 하루라도 착한 것을 생각하지 않으면 모든 악한 것이 저절로 일어난다고 하였다.

참고 장자(莊子; B.C. 365~290) : 중국 전국(戰國) 시대의 도학자(道學者)로, 만물 일원론(萬物一元論)을 주장하였다. 그의 인생관은 사생(死生)을 초월하여 절대 무한의 경지에 소요(逍遙)함을 목적으로 했고, 또 인생은 그 모두가 천명(天命)이라는 숙명설(宿命說)을 취하였다.

태공　　왈　견선여갈　　문악여롱　　우왈
太公이 曰, 見善如渴하고 聞惡如聾하라. 又曰,

선사　　수탐　　악사　　막락
善事란 須貪하고 惡事란 莫樂하라.

[해설] 태공이 말하기를, 착한 것을 보거든 목마를 때 물 본 듯이 주저하지 말고, 악한 것을 듣거든 귀머거리같이 하라. 그리고, 착한 일이란 모름지기 탐내고, 악한 일이란 모름지기 즐겨하지 말라고 하였다.

참고 태공(太公) : 중국 주(周)나라 초기의 정치가로, 성은 강(姜), 이름은 여상(呂尙)이며, 속칭 강태공(姜太公)이라 한다. 무왕(武王)을 도와 은(殷)나라를 쳐서 천하를 평정했으며, 그 공로로 제(齊)나라에 봉함을 받아 그 시조가 되었다. 병서(兵書)인 〈육도(六韜)〉를 지었다고 한다.

마원　　왈　종신행선　　선유부족　　일일
馬援이 曰, 終身行善이라도 善猶不足이요, 一日

행악　　악자유여
行惡이라도 惡自有餘니라.

[해설] 마원이 말하기를, 한평생 착한 일을 하여도 그 착함은 오히려 부족하고, 하루 악한 일을 하여도 악은 스스로 남는다고 하였다.

참고 마원(馬援; B.C. 49~11) : 후한(後漢) 사람으로, 광무제(光武帝)를 도운 유명한 장군인데, 티벳 지방 등을 정벌하고, 여러 난을 평정하였다.

사마온공　　왈　적금이유자손　　미필자손
司馬温公이 曰, 積金以遺子孫이라도, 未必子孫이

능 진 수 적 서 이 유 자 손 미 필 자 손 능
能盡守요 積書以遺子孫이라도 未必子孫이 能

진 독 불 여 적 음 덕 어 명 명 지 중 이 위 자 손
盡讀이니, 不如積陰德於冥冥之中하여 以爲子孫

지 계 야
之計也니라.

[해설] 사마 온공이 말하기를, 돈을 모아서 자손에게 남겨 주더라도 반드시 이를 다 지키지 못할 것이요, 책을 모아서 자손에게 남겨 주더라도 반드시 이를 다 읽지 못할 것이니, 남이 모르는 가운데 덕(德)을 쌓아 자손을 위하는 것만 못하다고 하였다.

참고 **사마 온공**(司馬溫公; 1019~1086) : 중국 북송(北宋) 때의 학자·정치가로, 통칭 사마 광(司馬光)이라 한다. 20세에 진사(進士)가 되고, 신종(神宗) 때 한림 학사(翰林學士)로서 왕 안석(王安石)의 신법(新法)에 반대하여 관직에서 물러났고, 이후 〈자치통감(自治通鑑)〉의 편찬에 전념하였다.

경 행 록 왈 은 의 광 시 인 생 하 처 불
景行録에 曰, 恩義를 廣施하라, 人生何處不

상 봉 수 원 막 결 노 봉 협 처 난 회
相逢이랴. 讐怨을 莫結하라. 路逢狹處면 難回

피
避니라.

[해설] 경행록에 이르기를, 은혜와 의리를 넓게 베풀어라. 인생이란 어느 곳에서든지 서로 만나게 마련이다. 원수와 원망을 맺지 말아라. 좁은 길에서 만나면 피하기가 어렵다고 하였다.

참고 **경행록**(景行録) : 중국 송(宋)나라 때의 책으로, 그 내용은 떳떳하고 밝은 행위를 하라는 것이다.

장 자 왈 어 아 선 자 아 역 선 지 어 아
莊子가 曰, 於我善者도 我亦善之하고 於我

악 자 아 역 선 지 아 기 어 인 무 악
惡者도 我亦善之니라. 我旣於人에 無惡이면

인 능 어 아 무 악 재
人能於我에 無惡哉인저.

[해설] 장자가 말하기를, 나에게 착하게 하는 자라도 나 또한 착하게 하고, 나에게 악

하게 하는 자라도 나 또한 착하게 하라. 내가 이미 다른 사람에게 악하게 하지 아니하였다면 다른 사람이 나에게 악하게 하는 일이 없을 것이라고 하였다.

東岳聖帝垂訓(동악성제수훈)에 曰(왈), 一日行善(일일행선)이라도 福雖未至(복수미지)나 禍自遠矣(화자원의)요, 一日行惡(일일행악)이라도 禍雖未至(화수미지)나 福自遠矣(복자원의)니, 行善之人(행선지인)은 如春園之草(여춘원지초)하여 不見其長(불견기장)이라도 日有所增(일유소증)하고, 行惡之人(행악지인)은 如磨刀之石(여마도지석)하여 不見其損(불견기손)이라도 日有所虧(일유소휴)이니라.

[해설] 동악 성제가 후세에 전하는 교훈에 이르기를, 하루 착한 일을 행할지라도 복은 비록 곧 나타나지 않으나 화는 스스로 멀어질 것이요, 하루 악한 일을 행할지라도 화는 비록 곧 나타나지 않으나 복은 스스로 멀어진다. 착한 일을 하는 사람은 봄 동산의 풀과 같이 그 자라는 것은 보이지 않으나 날마다 더하는 바가 있고, 악한 일을 하는 사람은 칼을 가는 숫돌과 같이 갈려 닳아서 없어지는 것이 보이지 않더라도 날이 갈수록 닳아서 없어지는 것과 같다고 하였다.

참고 **동악 성제**(東岳聖帝) : 태산 부군(泰山府君)을 달리 일컫는 말인데, 동악묘(東岳廟)의 본존(本尊)으로, 옥황상제(玉皇上帝)를 대신하여 사람의 영혼과 생명을 관리한다고 한다.

子(자)가 曰(왈), 見善如不及(견선여불급)하고 見不善如探湯(견불선여탐탕)하라.

[해설] 공자가 말하기를, 착한 것을 보거든 아직도 부족한 것과 같이 하고, 악한 것을 보거든 끓는 물을 만지는 것과 같이 하라고 하였다.

2. 天命篇(천명편) — 하늘에 순종하는 길

● 하늘은 우리가 범한 죄에 대하여 분노한다. 그러나, 속세(俗世)는 우리가 행한 덕(德)에 대하여 분노하는 것이다. — 탈무드

자 왈 순천자 존 역천자 망
子가 曰, 順天者는 存하고 逆天者는 亡이니라.

[해설] 공자가 말하기를, 하늘에 순종하는 사람은 살고, 거역하는 사람은 망한다고 하였다.

강절소선생 왈 천청 적무음 창창
康節邵先生이 曰, 天聽이 寂無音하니 蒼蒼

하처심 비고역비원 도지재인심
何處尋고. 非高亦非遠이라 都只在人心이니라.

[해설] 강절 소 선생이 말하기를, 하늘의 들으심이 고요하여 소리가 없이 멀고 아득하니 어느 곳을 찾을 것인가. 높지도 않고 또 멀지도 않으니 모두가 다만 사람의 마음에 있는 것이라고 하였다.

참고 소 강절(邵康節; 1011～1077) : 중국 송(宋)나라 때의 유학자로, 이름은 옹(雍), 자는 요부(堯夫)이며, '강절'은 시호이다. 이 정지(李挺之)로부터 도가(道家)의 도서 선천 상수(圖書先天象數)의 학을 배워 신비로운 수리 학설을 세웠다. 저서에 〈격양집(擊壤集)〉 등이 있다.

현제수훈 왈 인간사어 천청 약뢰
玄帝垂訓에 曰, 人間私語라도 天聽은 若雷

암실기심 신목 여전
하고, 暗室欺心이라도 神目은 如電이니라.

[해설] 현제가 후세에 전하는 교훈에 이르기를, 사람의 사사로운 말도 하늘이 듣기에는 우뢰와 같고, 어두운 방에서 속이는 마음이라도 귀신의 눈에는 번개와도 같다고 하였다.

참고 현제(玄帝) : 도가(道家)를 받들어 모시는 신(神)이다.

익지서 운 악관 약만 천필주지
益智書에 云, 惡鑵이 若滿이면 天必誅之니라.

[해설] 익지서에 이르기를, 나쁜 마음이 가득 차면 하늘이 반드시 벨 것이라고 하였다.

참고 익지서(益智書) : 중국 송(宋)나라 때의 책으로, 그 내용은 교양에 관한 것이다.

장자 왈 약인 작불선 득현명자
莊子가 曰, 若人이 作不善하여 得顯名者는,
인수불해 천필육지
人雖不害나 天必戮之니라.

[해설] 장자가 말하기를, 만일 사람이 착하지 않은 일을 하고서 이름을 세상에 나타낸 자는, 사람이 비록 해(害)하지 못하지만 하늘이 반드시 벨 것이라고 하였다.

종과득과 종두득두 천망 회회 소
種瓜得瓜요 種豆得豆니, 天網이 恢恢하여 疎
이불루
而不漏니라.

[해설] 오이씨를 심으면 오이를 얻고 콩을 심으면 콩을 얻으며, 하늘의 그물은 넓고 넓어 보이지는 않으나 새는 법은 없느니라.

자 왈 획죄어천 무소도야
子가 曰, 獲罪於天이면 無所禱也니라.

[해설] 공자가 말하기를, 나쁜 일을 하여 하늘로부터 죄를 받으면 빌 곳이 없다고 하였다.

3. 順命篇(순명편) — 숙명(宿命)의 길

● 우리들의 생각하는 것, 말하는 것, 행하는 것, 그 모두가 운(運)이 발행하는 수표(手票)의 권리 양도에 지나지 않는다.
— 메난드로스

자 왈 사생 유명 부귀재천
子가 曰, 死生이 有命이요, 富貴在天이니라.

[해설] 공자가 말하기를, 죽고 사는 것은 운명(運命)에 달렸고, 부자가 되고 귀하게 되는 것은 하늘에 달렸다고 하였다.

만 사 분 이 정　　　부 생　　공 자 망
萬事分已定이어늘 浮生이 空自忙이니라.

[해설] 모든 일은 나뉘어서 이미 정하여졌거늘 세상 사람이 부질없이 제 스스로 바빠하고 있느니라.

경 행 록　　운　　화 불 가 행 면　　복 불 가 재 구
景行錄에 云하되, 禍不可倖免이요 福不可再求니라.

[해설] 경행록에 이르기를, 화(禍)는 가히 요행으로써 면치 못하고, 복(福)은 가히 두 번 다시 얻지 못할 것이라고 하였다.

시 래 풍 송 등 왕 각　　운 퇴 뢰 굉 천 복 비
時來風送滕王閣이요, 運退雷轟薦福碑라.

[해설] 때를 만나면 왕발(王勃)이 순풍을 만나 하룻밤에 등왕각에 가서 서문(序文)을 지어 이름을 높이듯이 일이 잘되고, 운수가 나쁘면 천복비에 벼락이 내려 비석이 깨어지듯이 만사가 수포로 돌아가느니라.

참고 **왕발**(王勃; 647~674) : 중국 당(唐)나라 때의 천재 시인으로, 자는 자안(子安)이다. 그는 당나라 초기의 4걸(四傑)로 꼽히는데, 그가 검남(劍南)으로 가서 도독(都督)인 염 백서(閻伯嶼)를 위하여 쓴 등원각의 서문과 시는 특히 유명하다. 대표작에는 〈왕자안집(王子安集)〉이 있다.

천복비(薦福碑) : 중국 강서성의 천복사(薦福寺)에 있던 비석으로, 원(元)나라 때 마 치원(馬致遠)이 만들었다 한다.

열 자　　왈　　치 롱 고 아　　가 호 부　　지 혜 총 명
列子가 曰, 痴聾痼瘂도 家豪富요 智慧聰明도

거 수 빈　　연 월 일 시　해 재 정　　산 래 유 명 불
却受貧이라. 年月日時 該載定하니 算來由命不

유 인
由人이니라.

[해설] 열자가 말하기를, 어리석고 귀먹고 고질 있고 벙어리일지라도 집은 큰 부자요, 지혜 있고 영리하지만 도리어 가난한 것이다. 운수는 해와 달과 날과 시가 분명히 정해져 있으니, 운수를 셈함에 있어서 부유하고 가난함은 사람으로 말미암음에 있지 않고 그 운명(運命)에 있는 것이라고 하였다.

참고 열자(列子) : 중국 춘추(春秋) 시대 노(魯)나라의 사상가로, 이름은 어구(御寇)이다. 그는 사상적으로 도가(道家)에 속하는데, 그의 철학설을 문인(門人)이 엮은 〈열자(列子)〉가 있다.

4. 孝行篇(효행편) — 부모를 섬기는 일

● 우리 부모들은 우리들의 어린 시절을 꾸며 주셨으니, 우리는 그들의 말년(末年)을 아름답게 꾸며 드려야 한다.
— A. 생텍쥐페리

시 왈 부혜생아 모혜국아 애애부
詩에 曰, 父兮生我하고 母兮鞠我하시니 哀哀父
모 생아구로 욕보심은 호천망극
母여, 生我劬勞샷다. 欲報深恩인데 昊天罔極이로다.

[해설] 시전(詩傳)에 이르기를, 아버님 날 낳으시고 어머님 날 기르시니 아아 애닯다 어버이시여, 나를 낳아 기르시기에 얼마나 수고로우셨으랴. 그 은혜를 갚고자 하지만, 그 은혜는 하늘과도 같이 끝이 없다고 하였다.

참고 시전(詩傳) : 〈시경(詩經)〉의 주해서(註解書)를 말한다. 5경(五經)의 하나인 〈시경〉은 중국 춘추(春秋) 시대의 민요를 중심으로 한 중국 최고(最古)의 시집인데, 전부터 전해 오던 3천여 편의 시 중에서 공자(孔子)가 311편을 추린 것이라 한다.

자 왈 효자지사친야 거즉치기경 양
子가 曰, 孝子之事親也는, 居則致其敬하고 養
즉치기락 병즉치기우 상즉치기애
則致其樂하고 病則致其憂하고 喪則致其哀하고
제즉치기엄
祭則致其嚴이니라.

[해설] 공자가 말하기를, 효자의 어버이 섬김은, 기거하심에는 공경을 다하고, 봉양함에는 즐거움을 다하고, 병드신 때에는 근심을 다하고, 돌아가신 때에는 슬픔을 다하고, 제사지냄에 있어서는 엄숙함을 다해야 한다고 하였다.

자 왈 부모재 불원유 유필유
子가 曰, 父母 在시거든 不遠遊하리니, 遊必有

방
方이니라.

[해설] 공자가 말하기를, 부모가 계시거든 멀리 가서 놀지 말 것이며, 놀음에는 반드시 정한 위치가 있어야 한다고 하였다.

자 왈 부 명소 유이불락 식재
子가 曰, 父가 命召시거든 唯而不諾하고 食在
구즉토지
口則吐之니라.

[해설] 공자가 말하기를, 아버지가 부르시거든 즉시 대답하여 머뭇거리지 말고, 음식이 입 안에 있으면 즉시 뱉고 대답하라고 하였다.

참고 유이불락(唯而不諾) : '唯'는 부르는 즉시 '예' 하는 빠른 대답이고, '諾'은 느린 대답이다.

태공 왈 효어친 자역효지 신기
太公이 曰, 孝於親이면 子亦孝之하나니, 身旣
불효 자하효언
不孝면 子何孝焉이리요.

[해설] 태공이 말하기를, 내가 어버이에게 효도하면 내 자식도 또한 나에게 효도하리니, 나 자신이 이미 효도하지 않으면 내 자식이 어찌 효도하겠는가라고 하였다.

효순 환생효순자 오역 환생오역자
孝順은 還生孝順子요 五逆은 還生五逆子라.
불신 단간첨두수 점점적적불차이
不信이면 但看簷頭水하라. 點點滴滴不差移니라.

[해설] 효성스럽고 공순한 사람은 다시 효성스럽고 공순한 자식을 낳을 것이고, 오역을 범한 사람은 다시 오역을 범한 자식을 낳으리라. 믿지를 못하겠거든 한 번 저 처마 끝의 낙수(落水)를 보아라. 방울방울 떨어져 내림은 어김이 없느니라.

참고 오역(五逆) : 불교에 있어서, 무간 지옥(無間地獄)에 떨어질 다섯 가지의 악행(惡行), 즉 ① 아버지를 죽이는 일, ② 어머니를 죽이는 일, ③ 아라한(阿羅漢)을 죽이는 일, ④ 중의 화합(和合)을 깨뜨리는 일, ⑤ 불신(佛身)을 상(傷)하게 하는 일을 일컫는다.

5. 正己篇(정기편) — 올바른 몸가짐

●나는 세상을 살면서 네 가지의 금언(金言)을 익혔다. 첫째는, 남을 해치는 소리는 결코 하지 말라. 둘째는, 아무도 받아들이지 않는 충고는 하지 말라. 셋째는, 불평을 하지 말라. 넷째는 설명하지 말라. — R. F. 스코트

성리서 운 견인지선 이심기지선
性理書에 云하되, 見人之善이거든 而尋己之善하고, 見人之惡이거든 而尋己之惡이니라. 如此라야 方是有益이니라.
견인지악 이심기지악 여차 방시유익

[해설] 성리서에 이르기를, 다른 사람의 선함을 보거든 나의 선을 찾고, 다른 사람의 악함을 보거든 나의 악을 찾아라. 이렇게 해야 비로소 이익됨이 있으리라고 하였다.

참고 성리서(性理書) : 중국 송(宋)나라 때의 성리학(性理學)에 관한 책이다. 성리학은 유학(儒學)의 한 계통으로, 성명(性命)과 이기(理氣)의 관계를 논한 유교 철학인데, 북송(北宋)의 주 돈이(周敦頤)에서 비롯되어 주자(朱子; 朱熹)가 집대성하였다.

경행록 운 대장부 당용인 무위 인소용
景行錄에 云하되, 大丈夫가 當容人이언정 無爲人所容이니라.

[해설] 경행록에 이르기를, 대장부는 마땅히 다른 사람을 용서는 할지언정 다른 사람으로부터 용서를 받는 바가 되어서는 안 된다라고 하였다.

태공 왈 물이귀기이천인 물이자대이 멸소 물이시용이경적
太公이 曰, 勿以貴己而賤人하고, 勿以自大而蔑小하고, 勿以恃勇而輕敵이니라.

[해설] 태공이 말하기를, 나를 귀하게 여김으로써 다른 사람을 천하게 여기지 말고, 나

스스로의 큼으로써 다른 사람의 작음을 업신여기지 말고, 용맹을 믿음으로써 적을 소홀히 여기지 말라고 하였다.

마원 왈 문인지과실 여문부모지명
馬援이 曰, 聞人之過失이거든 如聞父母之名

이가득문 구불가언야
하여 耳可得聞이언정 口不可言也니라.

[해설] 마원이 말하기를, 다른 사람의 허물을 듣거든 마치 부모의 이름을 듣는 것과 같이 하여, 귀로써는 들을지언정 입으로는 말하지 말라고 하였다.

강절소선생 왈 문인지방 미상노
康節邵先生이 曰, 聞人之謗이라도 未嘗怒하며,

문인지예 미상희 문인지악 미상화
聞人之譽라도 未嘗喜하며, 聞人之惡이라도 未嘗和

문인지선즉취이화지 우종이희지
하고, 聞人之善則就而和之하고, 又從而喜之니라.

기시 왈 낙견선인 낙문선사 낙도
其詩에 曰, 樂見善人하며, 樂聞善事하며, 樂道

선언 낙행선의 문인지악 여부망
善言하며, 樂行善意하고, 聞人之惡이거든 如負芒

자 문인지선 여패란혜
刺하고, 聞人之善이거든 如佩蘭蕙니라.

[해설] 강절 소 선생이 말하기를, 다른 사람으로부터 비방하는 것을 듣더라도 곧 화내지 말며, 다른 사람으로부터 칭찬을 듣더라도 곧 기뻐하지 말라. 다른 사람의 악함을 듣더라도 이에 바로 따르지 말고, 다른 사람의 착함을 듣거든 곧 나아가 이에 화답하여 응하고, 또 따라서 기뻐할 일이라고 하였다.

그 시(詩)에 이르기를,
착한 사람 보기를 즐겨 하며,
착한 일 듣기를 즐겨 하며,
착한 말 듣기를 즐겨 하며,
착한 뜻 행하기를 즐겨 하라.
다른 사람의 악함을 듣거든 가시를 등에 진 듯이 하고,
다른 사람의 착함을 듣거든 난초를 몸에 지닌 듯이 하여라.

도 오 선 자　　시 오 적　　도 오 악 자　　시 오 사
道吾善者는 是吾賊이요, 道吾惡者는 是吾師니라.

[해설] 나더러 착하다고 부추겨 주는 사람은 곧 나에게 해로운 사람이요, 나더러 나쁘다고 깨우쳐 주는 사람은 곧 나에게 스승이니라.

태 공　　왈　　근 위 무 가 지 보　　신 시 호 신 지 부
太公이 曰, 勤爲無價之寶요, 愼是護身之符니라.

[해설] 태공이 말하기를, 부지런함은 값 없는 보배요, 삼감은 몸을 보호하는 부적이라고 하였다.

참고 부적(符籍) : 불교나 도교(道敎)를 믿는 가정에서 재해·죽음 따위의 재앙을 막고 귀신을 물리치기 위해 집·옷·몸 등에 붙이거나 간직하는 종이나 물건이다.

경 행 록　　왈　　보 생 자　　과 욕　　보 신 자
景行錄에 曰, 保生者는 寡慾하고, 保身者는

피 명　　무 욕　　이　　무 명　　난
避名이니, 無慾은 易하나 無名은 難이니라.

[해설] 경행록에 이르기를, 삶을 온전히 보존하려는 사람은 욕심을 적게 하고, 몸을 온전히 보존하려는 사람은 명예를 피한다. 욕심이 없기는 쉬우나, 명예를 없애기는 어렵다고 하였다.

자　　왈　　군 자　　유 삼 계　　소 지 시　　혈 기
子가 曰, 君子는 有三戒하니, 少之時에는 血氣

미 정　　계 지 재 색　　급 기 장 야　　혈 기 방
未定이라 戒之在色하고, 及其壯也하여서는 血氣方

강　　계 지 재 투　　급 기 로 야　　혈 기 기 쇠
剛이라 戒之在鬪하고, 及其老也하여서는 血氣旣衰

계 지 재 득
라 戒之在得이니라.

[해설] 공자가 말하기를, 군자에게는 세 가지 경계할 것이 있으니, 나이 어렸을 때에는 혈기가 아직 진정되지 못한지라 경계해야 될 바가 여색(女色)에 있고, 장성함에

이르러서는 혈기가 한창 군센지라 경계해야 될 바가 서로 다투어 싸움에 있고, 늙음에 이르러서는 혈기가 이미 쇠약한지라 경계해야 될 바는 탐내어 얻으려는 데에 있다고 하였다.

손 진 인 양 생 명 / 운 / 노 심 편 상 기 / 사 다 태 / 손 신 / 신 피 심 이 역 / 기 약 병 상 인 / 물 사 / 비 환 극 / 당 령 음 식 균 / 재 삼 방 야 취 / 제 / 일 계 신 진

孫眞人養生銘에 云하되, 怒甚偏傷氣요 思多太損神이라, 神疲心易役이요 氣弱病相因이라, 勿使悲歡極하고 當令飮食均하며, 再三防夜醉하고 第一戒晨嗔하라.

[해설] 손 진인의 양생명에 이르기를, 화냄을 심하게 하면 기운을 상하게 하고, 생각을 번거롭게 하면 정신을 크게 손상시킨다. 정신이 피곤하면 마음이 쉽게 수고로와지고, 기운이 약하면 병이 따라서 발생한다. 슬픔과 기쁨을 지나치게 하지 말고, 음식을 골고루 먹으며, 밤에는 술에 취하는 것을 거듭 금하고, 무엇보다도 새벽에 화내는 일을 제일 경계하라고 하였다.

참고 손 진인(孫眞人) : 孫은 성이며, 眞人은 일반적으로 불로 장생(不老長生)의 신선술(神仙術)을 연마하여 등선(登仙)했다는 사람을 일컫는다.

양생명(養生銘) : 심신을 건강하게 보존하여 장수함을 누리기 위해 지켜야 할 일들을 적은 계명이다.

경 행 록 / 왈 / 식 담 정 신 상 / 심 청 몽 매 안

景行録에 曰, 食淡精神爽이요 心清夢寐安이니라.

[해설] 경행록에 이르기를, 음식이 담박하면 정신이 맑아지고, 마음이 맑으면 잠도 편안하다고 하였다.

정 심 응 물 / 수 불 독 서 / 가 이 위 유 덕 군 자

定心應物이면 雖不讀書라도 可以爲有德君子니라.

[해설] 마음가짐이 침착하여 사물에 응할 수만 있다면, 비록 책을 읽지 않았더라도 덕(德)이 있는 군자라 할 만하느니라.

근 사 록 / 운 / 징 분 / 여 구 화 / 질 욕

近思録에 云하되, 懲忿을 如救火하고 窒慾을

여 방 수
如防水하라.

[해설] 근사록에 이르기를, 분함을 이기기를 불 끄듯이 하고, 욕심을 누르기를 물 막듯이 하라고 하였다.

참고 근사록(近思錄) : 중국 송(宋)나라 때 주자(朱子; 朱熹)와 여 조겸(呂祖謙)이 엮은 책으로, 주 무숙(周茂叔)·정 명도(程明道)·정 이천(程伊川) 등의 저서나 어록에서 일상 수양에 요긴한 622조목을 추려서, 초학자들이 알기 쉽게 엮었다.

이 견 지 운 피 색 여 피 수 피 풍 여 피 전
夷堅志에 云하되, 避色如避讐하고 避風如避箭

막 끽 공 심 다 소 식 중 야 반
하라. 莫喫空心茶하고 少食中夜飯하라.

[해설] 이견지에 이르기를, 여색(女色)을 피하기를 원수 피하듯이 하고, 바람 피하기를 화살 피하듯이 하라. 빈 속에는 차를 마시지 말고, 밤중에는 밥을 적게 먹으라고 하였다.

참고 이견지(夷堅志) : 중국 송(宋)나라 때 홍 매(洪邁)가 엮은 설화집(說話集)으로, 민간에 떠도는 이상한 사건이나 괴담(怪談)을 모은 책인데, 당시의 사회·민속 등의 자료가 풍부하다. 모두 420권 중 약 절반이 오늘날 전한다.

순 자 왈 무 용 지 변 불 급 지 찰 기 이 물
荀子가 曰, 無用之辯과 不急之察을 棄而勿

치
治하라.

[해설] 순자가 말하기를, 쓸데없는 말과 급하지 않은 일은 물리치어 다스리지 말라고 하였다.

참고 순자(荀子; B.C. 298?~235?) : 중국 전국(戰國) 시대의 유학자로, 이름은 황(況)이다. 그는 예의로써 인성(人性)을 바로잡을 것을 주장하고, 맹자(孟子)의 성선설(性善說)에 대해 성악설(性惡說)을 제창하였다. 저서에는 〈순자〉 20권이 있다.

자 왈 중 호 지 필 찰 언 중 악
子가 曰, 衆이 好之라도 必察焉하며, 衆이 惡

지 필 찰 언
之라도 必察焉이니라.

[해설] 공자가 말하기를, 뭇사람이 좋아하더라도 반드시 살펴보고, 뭇사람이 싫어하더라도 반드시 살펴보라고 하였다.

주중불언 진군자 재상분명 대장부
酒中不言은 眞君子요, 財上分明은 大丈夫니라.

[해설] 술이 취한 가운데에서도 말을 늘어놓지 않는 것이 참다운 군자요, 재물 거래에 있어서 분명한 것은 대장부다운 일이니라.

만사종관 기복 자후
萬事從寬이면 其福이 自厚니라.

[해설] 모든 일에 너그러움을 따르면 그 복이 저절로 두터워지느니라.

태공 왈 욕량타인 선수자량 상인지
太公이 曰, 欲量他人커든 先須自量하라. 傷人之

어 환시자상 함혈분인 선오기구
語는 還是自傷이니 含血噴人이면 先汚其口니라.

[해설] 태공이 말하기를, 다른 사람을 헤아리려거든 먼저 자기 스스로를 헤아려 보아라. 다른 사람을 해치는 말은 도리어 자기 스스로를 해치는 것이니, 피를 머금어 내뿜으면 먼저 제 입이 더러워진다고 하였다.

범희 무익 유근 유공
凡戲는 無益이요 惟勤이 有功이니라.

[해설] 무릇 유희(놀이)는 이익되는 것이 없고, 오직 부지런한 것만이 공을 이루느니라.

태공 왈 과전 불납리 이하 부정관
太公이 曰, 瓜田에 不納履요 李下에 不正冠이니라.

[해설] 태공이 말하기를, 남의 외밭에서는 신발을 고쳐 신지 말 일이요, 오얏나무 아래에서는 갓을 고쳐 쓰지 말라고 하였다.

경행록 왈 심가일 형불가불로 도
景行錄에 曰, 心可逸이언정 形不可不勞요, 道

가락 불가불우 형불로즉태타이폐
可樂이언정 不可不憂니, 形不勞則怠惰易弊하고

심불우즉황음부정 고 일생어로이상휴
心不憂則荒淫不定이라. 故로 逸生於勞而常休

낙생어우이무염 일락자 우로
하고 樂生於憂而無厭하나니, 逸樂者는 憂勞를

기가망호
豈可忘乎아.

[해설] 경행록에 이르기를, 마음은 편케 하더라도 몸은 수고롭지 않을 수 없고, 도(道)는 즐기더라도 마음가짐은 걱정하지 않을 수 없나니, 몸을 수고롭히지 않으면 게을러서 허물어지기 쉽고, 마음가짐을 걱정하지 않으면 방종하여 주착이 없다. 그러므로, 평안함은 수고로움에서 생겨 항상 즐길 수 있고, 즐거움은 걱정함에서 생겨 내내 싫음이 없나니, 편안코 즐겁고자 하는 사람은 걱정과 수고로움을 어찌 저버릴 수 있겠는가라고 하였다.

이불문인지비 목불시인지단 구불언인
耳不聞人之非하고 目不視人之短하고 口不言人

지과 서기군자
之過라야 庶幾君子니라.

[해설] 귀로써는 다른 사람의 그릇됨을 듣지 아니하고, 눈으로써는 다른 사람의 단점을 보지 아니하고, 입으로써는 다른 사람의 허물을 말하지 않아야 거의 군자이니라.

채백개 왈 희로 재심 언출어구
蔡伯喈가 曰, 喜怒는 在心하고 言出於口하니

불가불신
不可不愼이니라

[해설] 채 백개가 말하기를, 기쁨과 노여움은 마음속에 있고, 말은 입 밖으로 나가는 것이니 어찌 삼가지 않을 수 있겠는가라고 하였다.

참고 채 백개(蔡伯喈; 133~192): 중국 후한(後漢) 말기의 학자로, 이름은 옹(邕), 백개(伯喈)는 자이며, 하남(河南) 사람이다. 영제(靈帝)의 고문이었던 그는 박학하고 시문(詩文)에 능했으며, 수학·천문·서도·음악 등에도 두루 뛰어났다. 저서에는 〈독단(獨斷)〉이 있다.

재여 주침 자 왈 후목 불가조야
宰予가 晝寢이어늘 子가 曰, 朽木은 不可雕也

분토지장 불가오야
요 糞土之墻은 不可圬也니라.

[해설] 재여가 낮잠을 자기에 공가가 말하기를, 썩은 나무는 조각할(새길) 수 없고, 더러운 흙으로써 된 담은 흙손질을 할 수가 없다고 하였다.

참고 재여(宰予): 중국 춘추(春秋) 시대 노(魯)나라 사람으로, 자는 자아(子我)이다. 그는 공자(孔子)의 제자로, 이른바 '공문 십철(孔門十哲)'의 한 사람인데, 특히 언변(言辯)에 능했다고 한다.

자허원군성유심문 왈 복생어청검 덕
紫虛元君誠諭心文에 曰, 福生於清儉하고 德

생어비퇴 도생어안정 명생어화창
生於卑退하고 道生於安靜하고 命生於和暢하고

우생어다욕 화생어다탐 과생어경만
憂生於多慾하고 禍生於多貪하고 過生於輕慢하고

죄생어불인 계안 막간타비 계구
罪生於不仁이니라. 戒眼하여 莫看他非하고 戒口

막담타단 계심 막자탐진 계신
하여 莫談他短하고 戒心하여 莫自貪嗔하고 戒身

막수악반 무익지언 막망설 불
하여 莫隨惡伴하고 無益之言을 莫妄說하고 不

간기사 막망위 존군왕효부모 경존장
干己事를 莫妄爲하고 尊君王孝父母하고 敬尊長

봉유덕 별현우서무식 물순래이물거
奉有德하며 別賢愚恕無識하고 物順來而勿拒하며

물기거이물추 신미우이물망 사이과이
物旣去而勿追하고 身未遇而勿望하고 事已過而

물사 총명 다암매 산계 실편의
勿思하라. 聰明도 多暗昧요 算計도 失便宜니라.

손인종자실 의세화상수 계지재심
損人終自失이요 依勢禍相隨라. 戒之在心하고

수지재기 위불절이망가 인불염이실위
守之在氣라. 爲不節而亡家하고 因不廉而失位

권군자경어평생 가탄가경이가사
니라. 勸君自警於平生하노니, 可歎可警而可思라.

상임지이천감 하찰지이지지 명유삼법
上臨之以天鑑하고 下察之以地祇라, 明有三法

상계 암유귀신상수 유정가수 심불가
相繼하고 暗有鬼神相隨라. 惟正可守요 心不可

기 계지계지
欺니 戒之戒之하라.

[해설] 자허 원군의 〈성유심문〉에 이르기를, 복은 맑고 검소한 데에서 생기고, 덕은 낮추고 겸손하는 데에서 생기고, 도는 편안하고 고요한 데에서 생기고, 생명은 화창한 데에서 생긴다.

근심은 욕심이 많은 데에서 생기고, 화는 탐내는 마음이 많은 데에서 생기고, 잘못(허물)은 경솔하고 교만한 데에서 생기고, 죄악은 어질지 못한 데에서 생긴다.

눈을 경계하여 남의 그릇됨을 보지 말고, 입을 경계하여 남의 결점을 말하지 말고, 마음을 경계하여 탐내고 화내지 말며, 몸을 경계하여 나쁜 벗을 따르지 말라.

유익하지 않은 말은 함부로 늘어놓지 말고, 나에게 관계가 없는 일은 함부로 하지 말라.

군왕을 높이고 부모에게 효도하며, 어른을 공경하고 덕이 있는 사람을 받들며, 지혜로운 사람과 어리석은 사람을 분별하되, 무식한 사람을 너그러이 대하라.

사물이 순리대로 오거든 물리치지를 말고, 사물이 이미 가 버렸거든 좇지 말며, 몸이 불우하게 되었더라도 바라지 말고, 일이 이미 지나갔거든 생각하지 말라.

총명한 사람이라도 어두운 수가 많고, 잘 짜여진 계획도 편리하고 마땅함을 잃는 수가 있다.

다른 사람을 손상하면 마침내는 자기도 손실을 당할 것이요, 세력에 의존하면 화가 잇달아 오리라.

경계함은 마음에 있고, 지키는 것은 의기에 있느니라.

절약하지 않아서 집을 망치고, 청렴하지 않아서 벼슬을 잃느니라.

이와 같이 그대에게 항상 스스로 경고토록 권고하노니, 참으로 놀랍게 여겨서 잘 생각하여라. 위에는 하늘의 거울이 굽어보고, 아래에는 땅의 신령이 살피고 있느니라. 밝은 곳에는 세 가지 율법이 이어서 있고, 어두운 곳에는 귀신이 잇따르니라. 오직 바름을 지키고 마음을 속이지 말 일이니 경계하고 경계하라고 하였다.

참고 **원군**(元君) : 도교(道敎)에 있어서, 도(道)를 깨쳐서 신선(神仙)이 된 여자를 일컫는 말인데, 위 부인(魏夫人)을 '자허 원군(紫虛元君)'이라고 부른다.

성유심문(誠諭心文) : 진심으로 사물의 이치를 깨우쳐 알아듣도록 잘 타이른 글이라는 뜻이다.

삼법(三法) : 경(輕)·중(中)·중(重) 3급(三級)의 율법(律法)을 말한다.

⑥. 安分篇(안분편) — 만족과 분수의 한계

● 자기 몸에 맞지 않는 욕망으로 치달리는 것은, 칫수가 맞지 않는 남의 옷을 빌려 입고 싶어하는 거나 다름이 없다. 당신에게는 당신의 노래가 있다. 그대의 노래를 발견할 때 그대는 행복하리라. 자기의 몸과 마음과는 딴판인 다른 어떤 사람이 되고자 하지 말라. 그것은 바로 불행의 시초이다. — E. 팔트

景行錄(경행록)에 云(운)하되, 知足(지족)이면 可樂(가락)이요 務貪則憂(무탐즉우)니라.

[해설] 경행록에 이르기를, 족할 줄을 알면 즐거울 것이요, 탐내기에 힘쓰면 근심이 끊이지 않으리라고 하였다.

知足者(지족자)는 貧賤(빈천)도 亦樂(역락)이요 不知足者(부지족자)는 富貴(부귀)도 亦憂(역우)니라.

[해설] 족할 줄을 아는 사람은 가난하고 천해도 역시 즐겁고, 족함을 알지 못하는 사람은 부유하고 귀해도 역시 근심이니라.

濫想(남상)은 徒傷神(도상신)이요 妄動(망동)은 反致禍(반치화)니라.

[해설] 분수에 넘친 생각은 오로지 정신만 상하게 할 뿐이요, 망령된 행동은 도리어 화만 불러일으키느니라.

지 족 상 족　　종 신 불 욕　　지 지 상 지　　종 신
知足常足이면 終身不辱하고, 知止常止면 終身
무 치
無恥니라.

[해설] 족할 줄을 알아서 항상 족하면 종신토록 욕됨이 없고, 그칠 줄을 알아서 항상 그치면 종신토록 부끄러움을 당하지 않으리라.

서　　왈　　만 초 손　　겸 수 익
書에 曰, 滿招損하고 謙受益이니라.

[해설] 서경에 이르기를, 가득 찬 것은 덜리게(줄어들게) 마련이요, 겸손하면 이익을 얻으리라고 하였다.

참고 서경(書經) : 중국 요순(堯舜) 때로부터 주(周)나라에 이르기까지의 정치사·정교(政敎)를 적은 책으로, 중국에서 가장 오래 된 경전(經典)이다. 삼경(三經) 또는 오경(五經)의 하나인 이 책은 공자(孔子)가 수집하여 편찬한 것이라고 하는데, 특히 고문(古文)은 위(魏)·진(晋)의 위작(僞作)으로 알려져 있다. 이것은 모두 20권 58편이며, 그 이루어진 연대는 일정치 않다.

격 양 시　　운　　안 분 신 무 욕　　지 기 심 자 한
擊壤詩에 云하되, 安分身無辱이요 知機心自閑
　　수 거 인 세 상　　각 시 출 인 간
이라, 雖居人世上이나 却是出人間이니라.

[해설] 격양시에 이르기를, 편안한 마음으로 분수를 지키면 몸에 욕됨이 없고, 기틀을 알면 마음이 저절로 한가하리니, 이것이 비록 인간 세상에 살지라도 도리어 인간 세상에서 벗어나 있는 것이니라.

참고 격양시(擊壤詩) : 중국 송(宋)나라 소옹(邵雍)이 찬(撰)한 〈격양집(擊壤集)〉에 실려 있는 시(詩)를 말한다.

자　　왈　　부 재 기 위　　불 모 기 정
子가 曰, 不在其位하면 不謀其政이니라.

[해설] 공자가 말하기를, 그 지위에 있지를 않으면 그 나랏일을 꾀하지 말라고 하였다.

7. 存心篇(존심편) — 마음가짐

●오! 모든 것이 마음이로구나! 오직 마음 하나로다. 괴롭다 하는 것도 이 마음이요, 즐겁다 하는 것도 이 마음이요, 죽는다 산다 하는 것도 필경은 이 마음 하나로구나! 극락과 지옥이 어디 따로 있는 것이 아니라, 필경은 이 마음자리 하나구나!

— 이광수(李光洙)

경행록 운 좌밀실 여통구 어촌
景行錄에 云하되, 坐密室을 如通衢하고 馭寸
심 여륙마 가면과
心을 如六馬하면 可免過니라.

[해설] 경행록에 이르기를, 밀실에 앉아 있어도 마치 저 네거리에 앉아 있는 듯하고, 작은 마음 누르기를 마치 여섯 말이 끄는 마차 부리듯이 하면 가히 허물을 면할 수 있느니라고 하였다.

참고 통구(通衢) : 통행하는 길, 왕래가 빈번한 큰 거리, 사방으로 통하여 교통이 편리한 길, 즉 네거리를 뜻한다.

격양시 운 부귀 여장지력구 중니
擊壤詩에 云하되, 富貴를 如將智力求이면 仲尼
년소합봉후 세인 불해청천의 공사신
年少合封侯라. 世人은 不解青天意하고 空使身
심반야수
心半夜愁라.

[해설] 격양시에 이르기를, 만일 부귀를 지력으로써 구할 수가 있다면 중니는 젊은 나이에 마땅히 제후에 봉해졌으리라. 세상 사람들은 저 파란 하늘의 뜻을 알지 못하고 헛되이 몸과 마음으로 하여금 한밤중에 근심하게 하는구나라고 하였다.

참고 중니(仲尼) : 공자(孔子)의 자(字)이다.

범충선공 계자제왈 인수지우 책인즉명
范忠宣公이 戒子弟曰, 人雖至愚나 責人則明

하고, 雖有聰明(수유총명)이나 恕己則昏(서기즉혼)이니, 爾曹(이조)는 但當(단당) 以責人之心(이책인지심)으로 責己(책기)하고, 恕己之心(서기지심)으로 恕人則(서인즉) 不患不到聖賢地位也(불환부도성현지위야)니라.

[해설] 범 충선공이 그 자식들을 경계하여 말하기를, 비록 지극히 어리석은 사람도 다른 사람을 책망하는 데에는 밝고, 비록 지혜로운 사람도 자기에 대한 용서에는 어두우니, 너희들은 모름지기 다른 사람을 책망하는 마음으로 자기를 책망하고, 자기를 용서하는 마음으로 다른 사람을 용서하여라. 그렇게만 한다면 성현의 경지에 이르지 못할 걱정은 없느니라고 하였다.

참고 **범 충선공**(范忠宣公) : 중국 북송(北宋) 때의 명신(名臣) 범 중엄(范仲淹)의 아들로, 이름은 순인(純仁), 충선(忠宣)은 시호(諡號)이다. 그는 철종(哲宗) 때에 재상을 지냈으며, 효도하는 마음이 깊었다고 한다.

子(자)가 曰(왈), 聰明思睿(총명사예)라도 守之以愚(수지이우)하고, 功被天下(공피천하)라도 守之以讓(수지이양)하고, 勇力振世(용력진세)라도 守之以怯(수지이겁)하고, 富有四海(부유사해)라도 守之以謙(수지이겸)이니라.

[해설] 공자가 말하기를, 지혜가 뛰어나고 생각이 현명하더라도 어리석은 체하고, 공로가 천하를 뒤덮을지라도 겸양한 마음을 지키고, 용맹이 세상에 떨칠지라도 겁먹은 마음을 지키고, 부함이 사해를 소유했을지라도 겸손함을 지키라고 하였다.

참고 **사해**(四海) : 사방의 바다, 즉 온 세상을 뜻한다.

百巧百成(백교백성)이 不如一拙(불여일졸)이니라.

[해설] 백 가지의 교묘한 재주로써 백 가지의 일을 이룸은 한 번 졸한 것만 같지 못하느니라.

소서 운 박시후망자 불보 귀이
素書에 云하되, 薄施厚望者는 不報하고, 貴而
망천자 불구
忘賤者는 不久니라.

[해설] 소서에 이르기를, 박하게 베풀고서 후하게 바라는 사람에게는 보답이 없고, 귀하게 된 후에 천하였던 때를 잊는 사람은 결코 오래지 못하리라고 하였다.

참고 소서(素書) : 중국 한(漢)나라 때에 황석공(黃石公)이 저술한 책으로, 도(道)·덕(德)·인(仁)·의(義)·예(禮)의 다섯 가지를 하나로 묶은 것이다. 이 책은 그 후 송(宋)나라 장 상영(張商英)이 주석하였다.

시은 물구보 여인 물추회
施恩이어든 勿求報하고, 與人이어든 勿追悔하라.

[해설] 은혜를 베풀었거든 그 보답을 구하지 말고, 다른 사람에게 주었거든 후에 뉘우치지 말아라.

손사막 왈 담욕대이심욕소 지욕원이
孫思邈이 曰, 膽欲大而心欲小하고, 知欲圓而
행욕방
行欲方이니라.

[해설] 손 사막이 말하기를, 담력은 크게 가지되 마음씀은 세밀하도록 하고, 지혜는 원만하게 하되 행동은 올바라야 한다고 하였다.

참고 손 사막(孫思邈; 601?~682?) : 중국 당(唐)나라의 의학자로, 백가(百家)에 통하고 노장(老莊)의 도(道)에 밝았으며, 음양과 의술에도 정통하였다. 그리고, 인명(人命)은 천금보다도 귀중하다는 사상에 바탕을 둔 의가(醫家)의 윤리를 제창하였다. 저서에는 〈천금방(千金方)〉 93권이 있다.

염념요여임전일 심심상사과교시
念念要如臨戰日하고, 心心常似過橋時니라.

[해설] 생각은 항상 전장에 나가는 날과 같이 하고, 마음은 언제나 다리를 건너는 때처럼 하여야 하느니라.

구 법 조 조 락 기 공 일 일 우
懼法朝朝樂이요, 欺公日日憂니라.

[해설] 법을 두려워하면 항상 즐겁게 살 수가 있고, 바른 도리를 속이면 날마다 근심되느니라.

주 문 공 왈 수 구 여 병 방 의 여 성
朱文公이 曰, 守口如瓶하고, 防意如城하라.

[해설] 주 문공이 말하기를, 입을 지키기는 병과 같이 하고, 뜻을 막기는 성벽과 같이 하라고 하였다.

참고 주 문공(朱文公; 1130~1200) : 중국 남송(南宋) 때의 대유학자(大儒學者)이며, 송(宋)나라 이학(理學)의 대성자(大成者)인 주 희〔朱熹; 높이어 朱子라고 부름〕를 일컫는데, 자는 원회(元晦)·중회(仲晦), 호는 회암(晦庵)이고, 문(文)은 시호(諡號)이다. 그는 북송(北宋)의 주 돈이(周敦頤)·정 이(程頤)·정호(程顥)·장 재(張載) 등의 새로운 학풍(學風)을 이어받아서 이른바 송학〔宋學; 도학(道學)·이학(理學)〕을 집대성했으며, 그의 학문을 주자학(朱子學)이라고 한다. 저서에는 〈시집전(詩集傳)〉·〈사서집주(四書集註)〉·〈자치 통감 강목(自治通鑑綱目)〉·〈소학(小學)〉·〈근사록(近思録)〉 등이 있다.

심 불 부 인 면 무 참 색
心不負人이면 面無慚色이니라.

[해설] 마음속으로 다른 사람을 저버리지 않는다면 얼굴에 부끄러운 빛이 없으리라.

인 무 백 세 인 왕 작 천 년 계
人無百歲人이나, 枉作千年計니라.

[해설] 사람은 백 살을 사는 사람이 없건만, 부질없이 천 년이나 살 듯한 계획을 세우느니라.

구 래 공 륙 회 명 운 관 행 사 곡 실 시 회 부
寇莱公六悔銘에 云하되, 官行私曲失時悔요, 富

불 검 용 빈 시 회 예 불 소 학 과 시 회 견 사 불 학
不儉用貧時悔요, 藝不少學過時悔요, 見事不學

용 시 회 취 후 광 언 성 시 회 안 불 장 식 병 시
用時悔요, 醉後狂言醒時悔요, 安不將息病時

회
悔니라.

[해설] 구 내공의 육회명에 이르기를, 벼슬아치가 사사로운 일을 행하면 그 자리를 잃은 때에는 후회할 것이요, 부유할 때에 절약해 쓰지 않으면 가난하게 되어 후회할 것이요, 기예를 젊어서 배우지 않으면 시기가 지난 후에 후회하게 되리라. 사물을 보고 배워 두지 않으면 필요하게 된 때에 후회할 것이요, 취했을 때 함부로 지껄이면 술이 깬 후에 후회할 것이요, 몸이 성할 때에 편안하게 쉬지 않으면 병이 났을 때에 후회하게 되리라고 하였다.

참고 **구 내공**(寇萊公) : 중국 북송(北宋) 진종(眞宗) 때의 재상인 구 준(寇準)을 가리키는데, 그는 거란의 침입을 물리친 공로로 인해 '내국공(萊國公)'으로 봉해졌기 때문에 '내공'이라고 불린다.
육회명(六悔銘) : 후회하게 될 여섯 가지를 적은 글을 말한다.

익지서 운 영무사이가빈 막유사이
益智書에 云하되, 寧無事而家貧이언정 莫有事而
가부 영무사이주모옥 불유사이주금옥
家富요, 寧無事而住茅屋이언정 不有事而住金屋
영무병이식추반 불유병이복량약
이요, 寧無病而食麤飯이언정 不有病而服良藥이니라.

[해설] 익지서에 이르기를, 차라리 걱정 없이 가난할지언정 걱정 있으면서 부자이지 말 것이요, 차라리 걱정 없이 초가집에 살지언정 걱정 있으면서 좋은 집에서 살지 말 것이요, 차라리 병이 없이 거친 밥을 먹을지언정 병이 있으면서 좋은 약을 먹지 말 것이라고 하였다.

참고 모옥(茅屋) : 띠 따위로 이엉을 인 초라한 집, 즉 초가집을 뜻한다.
금옥(金屋) : 화려 찬란한 집, 즉 좋은 집을 뜻한다.

심안모옥온 성정채갱향
心安茅屋穩이요, 性定菜羹香이니라.

[해설] 마음이 편안하면 초가집도 안온하고, 성품이 안정되면 나물국도 향기로우니라.

경행록 운 책인자 부전교 자서자
景行録에 云하되, 責人者는 不全交요, 自恕者
불개과
는 不改過니라.

[해설] 경행록에 이르기를, 다른 사람을 꾸짖기만 하는 사람은 사귐을 온전하게 하지 못하고, 스스로를 용서하기만 하는 사람은 허물을 고치지 못한다고 하였다.

숙 흥 야 매　　소 사 충 효 자　　인 부 지　　천 필 지
夙興夜寐하여 所思忠孝者는 人不知나 天必知

지　　포 식 난 의　　이 연 자 위 자　　신 수 안
之요, 飽食煖衣하여 怡然自衛者는 身雖安이나

기 여 자 손　　하
其如子孫에 何오.

[해설] 아침에 일어나 잠자리에 들기까지 그 생각하는 바가 충효로운 사람은 사람들이 설령 알아주지 않을지라도 하늘이 반드시 알아줄 것이요, 배불리 먹고 따스하게 입고서 안락하게 자기 몸만을 보호하는 사람은 몸은 비록 편안하겠지만 그 자손에게는 어찌하리오.

이 애 처 자 지 심　　사 친 즉 곡 진 기 효　　이 보 부 귀
以愛妻子之心으로 事親則曲盡其孝요, 以保富貴

지 심　　봉 군 즉 무 왕 불 충　　이 책 인 지 심
之心으로 奉君則無往不忠이요, 以責人之心으로

책 기 즉 과 과　　이 서 기 지 심　　서 인 즉 전 교
責己則寡過요, 以恕己之心으로 恕人則全交니라.

[해설] 아내와 자식을 사랑하는 마음으로 부모를 섬긴다면 그 효도야말로 극진하게 될 것이요, 부귀를 보존하는 마음으로 임금을 받든다면 그 어디에서도 충성 아님이 없을 것이요, 다른 사람을 꾸짖는 마음으로 자기 자신을 꾸짖는다면 허물이 적을 것이요, 자기 자신을 용서하는 마음으로 다른 사람을 용서한다면 사귐은 온전할 것이다.

이 모 부 장　　회 지 하 급　　이 견 부 장　　교 지
爾謀不臧이면 悔之何及이며, 爾見不長이면 教之

하 익　　이 심 전 즉 배 도　　사 의 확 즉 멸 공
何益이리요. 利心專則背道요, 私意確則滅公이니라.

[해설] 너의 꾀함이 좋지가 못하면 깨우친들 어찌 미치겠으며, 너의 소견이 훌륭하지가 못하면 가르친들 무슨 소용이 있으리요. 자기의 이익만을 오로지 하면 도리에 어

긋나게 되고, 사사로움이 굳어지면 공(公)이 멸해지느니라.

생사사생　　　　성사사성
生事事生이요　省事事省이니라.

[해설] 일을 만들면 일이 생기고, 일을 덜면 일이 덜어지느니라.

8. 戒性篇(계성편) — 인간 본연(本然)으로서의 성품

● 운명(運命)은 그 사람의 성격(性格)에서 만들어진다. 또, 성격은 그 사람의 일상생활의 습관에서 만들어진다. 그러므로, 오늘 하루 좋은 행동의 씨를 거두어 들이도록 하지 않으면 안 된다. 좋은 습관으로 성격을 다스린다면 운명은 그때부터 새로운 문을 열 것이다.
—— 테케이

경행록　운　인성　여수　수일경즉불
景行録에 云하되, 人性이 如水하여 水一傾則不
가복　성일종즉불가반　제수자　필이
可復이요 性一縱則不可反이니, 制水者는 必以
제방　제성자　필이예법
堤防하고 制性者는 必以禮法이니라.

[해설] 경행록에 이르기를, 사람의 성품은 물과 같아서 물이 한 번 기울면 돌이킬 수 없듯이 성품이 한 번 놓아지면 돌아오지 않나니, 물을 제어하려는 사람이 제방으로써 제어하듯이 성품을 제어하려는 사람은 반드시 예법으로써 제어해야 하느니라고 하였다.

인일시지분　　면백일지우
忍一時之忿이면 免百日之憂니라.

[해설] 한때의 분함을 참으면 백 날의 근심을 면할 수 있느니라.

득인차인　　득계차계　　불인불계　　소사
得忍且忍이요 得戒且戒하라. 不忍不戒면 小事

성 대
成大니라.

[해설] 참고 또 참을 것이요, 경계하고 또 경계하라. 참지 않고 경계하지 않으면 작은 일도 크게 되느니라.

우 탁 생 진 노 　 개 인 리 불 통 　 휴 첨 심 상 화
愚濁生嗔怒는 皆因理不通이라, 休添心上火하고

지 작 이 변 풍 　 장 단 　 가 가 유 　 염 량 　 처
只作耳邊風하라. 長短은 家家有요 炎凉은 處

처 동 　 시 비 무 상 실 　 구 경 총 성 공
處同이라, 是非無相實하여 究竟摠成空이니라.

[해설] 어리석고 흐린 사람이 다른 사람을 꾸짖고 화를 내는 것은 모두 사리에 통하지 못한 탓이니라. 마음 위에 불길을 붙이지 말고 그저 귓전을 스치는 바람결로 여겨라. 좋거니 나쁘거니 하는 것은 집집마다 있는 것이요 덥고 서늘함은 곳곳이 매일반이니라. 옳고 그르니 하는 것이란 본시 실상이 없어서 결국에는 모두 부질없는 것이 되고 마느니라.

자 장 　 욕 행 　 사 어 부 자 　 원 사 일 언 위 수
子張이 欲行에 辭於夫子할새 願賜一言爲修

신 지 미 　 자 　 왈 　 백 행 지 본 　 인 지 위 상
身之美한대 子가 曰, 百行之本이 忍之爲上이니라.

자 장 　 왈 　 하 위 인 지 　 자 　 왈 　 천 자 인 지
子張이 曰, 何爲忍之니까. 子가 曰,天子忍之면

국 무 해 　 제 후 인 지 　 성 기 대 　 관 리 인 지
國無害하고, 諸侯忍之면 成其大하고, 官吏忍之면

진 기 위 　 형 제 인 지 　 가 부 귀 　 부 처 인 지
進其位하고, 兄弟忍之면 家富貴하고, 夫妻忍之면

종 기 세 　 붕 우 인 지 　 명 불 폐 　 자 신 　 인
終其世하고, 朋友忍之면 名不廢하고, 自身이 忍

지 　 무 화 해 　 자 장 　 왈 　 불 인 즉 여 하
之면 無禍害니라. 子張이 曰, 不忍則如何니까.

자　왈　천자불인　국공허　제후불인
子가 曰, 天子不忍이면 國空虛하고, 諸侯不忍

상기구　관리불인　형법주　형제
이면 喪其軀하고, 官吏不忍이면 刑法誅하고, 兄弟

불인　각분거　부처불인　영자고
不忍이면 各分居하고, 夫妻不忍이면 令子孤하고,

붕우불인　정의소　자신　불인　환
朋友不忍이면 情意疎하고, 自身이 不忍이면 患

불제　자장　왈　선재선재　난인난인
不除니라. 子張이 曰, 善哉善哉라, 難忍難忍이여.

비인　불인　불인　비인
非人이면 不忍이요 不忍이면 非人이로다.

[해설] 자장이 떠나고자 공자께 하직하면서 수신(修身)의 교훈이 될 만한 한 마디를 청하니,

공자가 말하기를 "모든 행실의 근본으로서는 참는 것이 으뜸이니라."고 하였다.

자장이 "참으면 어떠하나이까?"라고 물으니,

공자가 말하기를 "천자(天子)가 참으면 나라에 해가 없을 것이요, 제후가 참으면 나라가 커질 것이요, 관리가 참으면 그 지위가 높아질 것이요, 형제끼리 참으면 집안이 부유하게 될 것이요, 부부끼리 참으면 평생을 해로하게 될 것이요, 친구끼리 참으면 서로의 명예가 허물어지지 않을 것이요, 자기 자신이 참으면 화근이나 해로움이 없으리라."고 하였다.

자장이 "참지 않는다면 어떻게 되나이까?"라고 물으니,

공자가 말하기를, "천자가 참지 않으면 나라가 황폐하게 될 것이요, 제후가 참지 않으면 그 몸마저 사라질 것이요, 관리가 참지 않으면 죽음을 당하게 될 것이요, 형제끼리 참지 않으면 헤어져 살게 될 것이요, 부부끼리 참지 않으면 자식으로 하여금 외롭게 할 것이요, 친구끼리 참지 않으면 정(情)이 벌어질 것이요, 자기 자신이 참지 않으면 근심이 사라지지 않으리라."고 하였다.

자장은 "좋고도 좋으신 말씀! 참기 어려움이여, 참기가 어려움이여! 사람이 아니면 참지 못할 것이요, 참지를 못하면 사람이 아니로소이다."라고 말하였다.

참고 **자장**(子張) : 공자(孔子)의 제자로, 성은 전손(顓孫), 이름은 사(師)이며, 자장(子張)은 그의 자(字)이다.

부자(夫子) : 덕행(德行)이 높아 모든 사람의 스승이 될 만한 사람에 대한 경칭, 또는 스승을 높이어 이르는 말이다. 그러나, 유가(儒家)들 사이에 '부자(夫子)'라고 하면 으레 공자(孔子)를 가리킨다.

천자(天子) : '천제(天帝)의 아들'이라는 뜻으로, 옛날에는 하늘이 백성을 다스리는 것이라고 하여, 이를 대신하여 나라를 다스리는 사람을 일컬었다. 즉, 한 나라의 군주(君主)를 가리켰다.

제후(諸侯) : 봉건 시대(封建時代)에 고대 중국에서 천자(天子)에 속해 있으면서 일정한 영토를 받아 가지고, 그 영토 내의 백성을 지배하는 권력을 가졌던 사람을 일컫는다.

경 행 록 　 운 　 굴 기 자 　 능 처 중 　 호 승
景行録에 云하되, 屈己者는 能處重하고, 好勝
자 　 필 우 적
者는 必遇敵이니라.

[해설] 경행록에 이르기를, 자기를 양보하는 자는 능히 중요한 지위에 처할 수 있을 것이요, 이기는 것을 좋아하는 자는 반드시 적을 만나게 될 것이니라고 하였다.

악 인 　 매 선 인 　 선 인 　 총 불 대 　 불 대
惡人이 罵善人커든 善人은 摠不對하라. 不對에
심 청 한 　 매 자 　 구 열 비 　 정 여 인 타 천
心清閑이요, 罵者는 口熱沸라. 正如人唾天이면
환 종 기 신 추
還從己身墜니라.

[해설] 악한 사람이 선한 사람을 꾸짖거든 선한 사람은 아예 응대하지 말아라. 응대하지 않으면 마음이 맑고 조용할 것이요, 꾸짖는 사람은 입이 닳아오르리라. 이것은 마치 하늘을 향하여 침을 뱉으면 도로 제 몸에 떨어지는 것과 같으니라.

아 약 피 인 매 　 양 롱 불 분 설 　 비 여 화 소 공
我若被人罵라도 佯聾不分說하라. 譬如火燒空하야
불 구 자 연 멸 　 아 심 　 등 허 공 　 총 이 번 순
不救自然滅이라. 我心은 等虛空이거늘 摠爾飜脣
설
舌이니라.

[해설] 내가 만일 다른 사람으로부터 욕설을 듣게 되더라도 거짓으로 귀먹은 체하고 대꾸를 하지 말아라. 비유하면, 불이 허공에서 타다가 끄지를 않아도 저절로 사라지는 것과 같으니라. 나의 마음은 허공과도 같거늘 오로지 그의 입술과 혀만이 뒤놀려질 뿐이니라.

범 사 　 유 인 정 　 후 래 　 호 상 견
凡事에 留人情이면, 後來에 好相見이니라.

[해설] 모든 일에 인정을 남겨 두면, 훗날에도 서로 좋은 낯으로 보게 될 것이니라.

9. 勤學篇(근학편) — 배우고 익혀 부지런히 공부함

● 역사(歷史)는 인간을 현명하게 하고, 시(詩)는 재주 많은 사람으로 만들고, 수학(數學)은 예민하게 하고, 자연 철학은 심원(深遠)하게 하고, 윤리학(倫理學)은 중후하게 하고, 논리학(論理學)과 수사학(修辭學)은 의론(議論)을 뛰어나게 한다.

— F. 베이컨

자 왈 박학이독지 절문이근사 인재
子가 曰, 博學而篤志하고, 切問而近思면 仁在
기중의
其中矣니라.

[해설] 공자가 말하기를, 많이 배우고 뜻을 굳건히 하며, 잘 묻고 잘 생각하면 어짊〔仁〕은 그 속에 있느니라고 하였다.

장자 왈 인지불학 여등천이무술 학
莊子가 曰, 人之不學은 如登天而無術하고, 學
이지원 여피상운이도청천 등고산이망
而智遠이면 如披祥雲而覩青天하고, 登高山而望
사해
四海니라.

[해설] 장자가 말하기를, 사람이 배우지 않음은 마치 아무런 재주도 없이 하늘에 오르려는 것과도 같고, 배워서 멀리 알게 되면 마치 좋은 구름을 헤쳐 푸른 하늘을 보는 것과 같으며, 높은 산에 올라서서 사방을 두루 보는 것과 같으니라고 하였다.

예기 왈 옥불탁 불성기 인불학
禮記에 曰, 玉不琢이면 不成器하고, 人不學이면
부지의
不知義니라.

[해설] 예기에 이르기를, 옥(玉)은 다듬지 않으면 그릇을 만들지 못하고, 사람은 배우지 않으면 의(義)를 알지 못하느니라고 하였다.

참고 **예기(禮記)** : 예(禮)의 이론과 실제를 기록한 책으로, 오경(五經)의 하나인데, 우리 나라에는 고려 때 안 향(安珦)이 들여왔다. 이 책은 한 무제(漢武帝) 때 하간(河間)의 헌왕(獻王)이 공자(孔子)와 그의 제자 및 그 이후의 여러 학자들이 지은 131편의 고서(古書)를 수집 정리하였고, 선제(宣帝) 때에 유향(劉向)이 서술 보충하여 214편으로 하였다. 그리고, 후에 이것을 대덕(戴德)이 정리하여 85편으로 만든 〈대대례(大戴禮)〉와 그의 동생 대성(戴聖)이 다시 줄여서 49편으로 만든 〈소대례(小戴禮)〉가 있는데, 오늘날의 〈예기〉는 이 〈소대례〉를 가리키며, 이것은 〈주례(周禮)〉·〈의례(儀禮)〉와 아울러 '삼례(三禮)'라고 일컫는다.

태공 왈 인생불학 여명명야행
太公이 曰, 人生不學이면 如冥冥夜行이니라.

[해설] 태공이 말하기를, 사람이 배우지 않으면 마치 캄캄한 밤길을 가는 것과 같으니라고 하였다.

한문공 왈 인불통고금 마우이금거
韓文公이 曰, 人不通古今이면 馬牛而襟裾니라.

[해설] 한 문공이 말하기를, 사람이 옛날이나 지금이나 통하지 못하면 말이나 소에게 옷을 입혀 둔 것과 같으니라고 하였다.

참고 **한 문공(韓文公; 768~824)** : 중국 당(唐)나라 중세의 문인으로, 자는 퇴지(退之), 호는 창려(昌黎)인데, 한 유(韓愈)를 가리킨다. 당·송 팔대가(唐宋八大家)의 한 사람인 그는 여러 차례에 걸쳐 좌천을 당하였으나, 만년에는 이부시랑(吏部侍郎)에 올랐다. 그는 유학(儒學)을 숭상하고, 고문(古文)의 부흥을 제창하였으며, 한편 시(詩)에서도 빼어난 재능을 보여 기발하고도 호탕한 작품을 많이 남기었다. 대표작으로는 〈한창려문집(韓昌黎文集)〉·〈외집(外集)〉 등이 있다.

주문공 왈 가약빈 불가인빈이폐학
朱文公이 曰, 家若貧이라도 不可因貧而廢學이요,

가약부 불가시부이태학 빈약근학
家若富라도 不可恃富而怠學이니라. 貧若勤學이면

가이입신 부약근학 명내광영 유
可以立身이요, 富若勤學이면 名乃光榮하리니, 惟

견학자현달 불견학자무성 학자 내
見學者顯達이요 不見學者無成이니라. 學者는 乃

신지보 학자 내세지진 시고 학즉
身之寶요, 學者는 乃世之珍이니라. 是故로 學則

내 위 군 자 불 학 즉 위 소 인 후 지 학 자 의
乃爲君子요 不學則爲小人이니, 後之學者는 宜

각 면 지
各勉之니라.

[해설] 주문공이 말하기를, 만일 집안이 가난하더라도 그 가난으로 인하여 배우는 일을 그만두어서는 안 될 일이요, 만일 집안이 넉넉하더라도 그 넉넉함을 믿고 배우는 일을 게을리해서도 안 되느니라. 만일 가난한 사람이 배우는 일을 부지런히 한다면 출세할 수가 있고, 만일 넉넉한 사람이 배우는 일을 부지런히 한다면 그 이름이 더욱 빛나리니, 오직 배우는 사람이 훌륭하게 되는 것을 보았고, 배우는 사람치고 성공하지 못하는 일은 보지를 못했느니라. 배움이라는 것은 곧 몸의 보배요, 배운 사람은 곧 세상의 보배이니라. 그러므로, 배우는 사람은 이에서 군자(君子)가 되고, 배우지 않으면 소인(小人)이 되나니, 훗날의 모든 사람들은 모름지기 각각 배우는 일에 힘쓸지니라고 하였다.

휘 종 황 제 왈 학 자 여 화 여 도 불 학 자
徽宗皇帝가 曰, 學者는 如禾如稻하고, 不學者

여 호 여 초 여 화 여 도 혜 국 지 정 량
는 如蒿如草로다. 如禾如稻兮여, 國之精糧이요

세 지 대 보 여 호 여 초 혜 경 자 증 혐 서
世之大寶로다. 如蒿如草兮여, 耕者憎嫌하고 鋤

자 번 뇌 타 일 면 장 회 지 이 로
者煩惱니라. 他日面墻에 悔之已老로다.

[해설] 휘종 황제가 말하기를, 배운 사람은 마치 벼와도 같고, 배우지 못한 사람은 쑥과도 같도다. 벼와 같음이여, 그것은 나라의 종요로운 양식이요 세상의 큰 보배로다. 쑥과 같음이여, 그것은 밭을 가는 사람은 꺼려하고 김을 매는 사람은 이것을 귀찮아하느니라. 훗날 담을 대면한 듯 답답함에 후회하여도 이미 늙었도다라고 하였다.

참고 **휘종 황제**(徽宗皇帝; 1082~1135) : 중국 북송(北宋)의 제 8 대 황제로, 신종(神宗)의 아들인데, 1100년에 즉위하였다. 그는 취미와 도교(道敎) 사상에 빠져서 정치를 등한히 했으므로 반란이 일어났으며, 1125년에는 금(金)나라가 침입하자 퇴위(退位)하였고, 1127년에는 포로가 되었는데, 그 후 만주의 어느 외딴 곳에서 죽었다. 그러나, 휘종 황제는 시(詩)와 서(書)에 뛰어났는데, 특히 그림에서는 산수 화조(山水花鳥)에 능하여 대가를 능가할 정도였으며, 화원(畫院)을 설치, 많은 화가들을 양성하였다. 그리하여, 원체화(院體畫)의 일파를 일으키게 되었다.

논 어 왈 학 여 불 급 유 공 실 지
論語에 曰, 學如不及이요, 惟恐失之니라.

[해설] 논어에 이르기를, 배우는 것은 항상 다하지 못한 듯이 할 것이요, 오직 배운 것은 잊지 않도록 해야 하느니라고 하였다.

참고 논어(論語) : 공자(孔子)의 언행(言行), 그 제자와 당시 사람들과의 문답(問答) 및 제자의 언행을 제자들이 모아 엮은 책으로, 예로부터 유교(儒敎)의 성전(聖典)으로서 존중되며, 사서(四書) 중의 하나이다. 20편으로 된 이 책의 엮은이와 그 연대는 자세히 알 수 없으나, 공자의 가르침을 알 수 있는 오직 하나의 문헌인데, 공자 사상의 핵심을 이루는 효제(孝悌)와 충서(忠恕)를 바탕으로 하여 '인(仁)'의 도(道)를 설명하였으며, 이것은 사람이 살아가는 방법이나 정치·교육 등 다방면에 큰 영향을 끼치었다.

10. 訓子篇(훈자편) —— 사람을 가르치는 길

● 교육의 참된 목적은 사람들에게 착한 일을 하도록 강청할 뿐만 아니라, 사람들에게 착한 일을 하는 그 자체에 기쁨을 발견하도록 하는 것이다. 교육은 사람들을 결백하게 만들 뿐만 아니라, 그 결백함을 사랑하도록 함에 있다. 그것은 정의(正義)를 지키게 할 뿐만 아니라, 정의에 대해서 목마르게 희구(希求)하게끔 만드는 데에 있다.

—— J. 러스킨

景行錄(경행록)에 云(운)하되, 賓客不來(빈객불래)면 門戶俗(문호속)하고, 詩書(시서) 無敎(무교)면 子孫愚(자손우)니라.

[해설] 경행록에 이르기를, 손님의 출입이 없으면 집안이 비속해지고, 시서(詩書)를 가르치지 않으면 자손이 어리석어지느니라고 하였다.

참고 시서(詩書) : 오경(五經)의 하나인 〈시경(詩經)〉을 가리키는데, 〈시경〉은 춘추(春秋) 시대의 민요를 중심한 중국 최고(最古)의 시집이다. 이 책은 여러 나라의 민요를 모은 풍(風), 조정의 음악인 아(雅), 종묘의 제사 때 음악인 송(頌)의 세 부분으로 크게 나누었는데, 전부터 전해 오던 3천여 편의 시 중에서 공자(孔子)가 311편을 추린 것이라 하며, 지금은 305편이 전한다. 이 시집은 사언형(四言形)이 특색이며, 중국뿐만 아니라 우리 나라에도 고대 문학에 큰 영향을 끼치었다.

莊子(장자)가 曰(왈), 事小雖(사수소)나 不作(부작)이면 不成(불성)이요, 子雖(자수) 賢(현)이나 不敎(불교)면 不明(불명)이니라.

[해설] 장자가 말하기를, 일이 비록 작더라도 하지를 않으면 이루어지지가 않고, 자식이 비록 뛰어났어도 가르치지 않으면 밝아지지 않느니라고 하였다.

한 서 운 황 금 만 영 불 여 교 자 일 경
漢書에 云하되, 黃金滿籯이 不如教子一經이요,
사 자 천 금 불 여 교 자 일 예
賜子千金이 不如教子一藝니라.

[해설] 한서에 이르기를, 황금이 상자에 가득 차 있다고 해도 자손에게 경전(經典) 하나 가르치는 것만 못하고, 자식에게 천금을 물려 준다 해도 한 가지 재주를 가르치는 것만 못하느니라고 하였다.

참고 **한서(漢書)** : 중국 전한(前漢)의 정사(正史)인데, 후한(後漢)의 반고(班固)가 지은 것으로, 반표(班彪)가 짓기 시작한 것을 반고가 대성하였고, 그 누이 동생인 반소(班昭)가 보수(補修)하였다. 이 책은 대체로 전한 1대의 역사를 기전체(紀傳體)로 적어 놓았는데, 12제기(帝紀)·8표(表)·10지(志)·70열전(列傳)으로 되었다. 효장제(孝章帝)의 건초(建初) 연간에 완성된 120권의 이 책에는 조선전(朝鮮傳)·지리지(地理志) 등이 있어 우리 나라 역사 연구에도 도움을 주고 있다.

지 락 막 여 독 서 지 요 막 여 교 자
至樂은 莫如讀書요, 至要는 莫如教子니라.

[해설] 지극히 즐거운 것에는 책을 읽는 것만한 것이 없고, 지극히 필요한 것에는 자식을 가르치는 것만한 것이 없느니라.

여 영 공 왈 내 무 현 부 형 외 무 엄 사 우 이
呂榮公이 曰, 內無賢父兄하고, 外無嚴師友而
능 유 성 자 선 의
能有成者는 鮮矣니라.

[해설] 여영공이 말하기를, 안으로 훌륭한 부형(父兄)이 없고, 밖으로 엄한 스승과 친구가 없이는 능히 훌륭하게 된 사람은 드무느니라고 하였다.

참고 **여영공(呂榮公)** : 중국 북송(北宋) 시대의 학자로, 이름은 희철(希哲), 자는 원명(原明)이다.

태 공 왈 남 자 실 교 장 필 완 우 여 자 실
太公이 曰, 男子失教면 長必頑愚하고, 女子失
교 장 필 추 소
教면 長必麤疎니라.

[해설] 태공이 말하기를, 남자로서 가르침을 받지 못하면 성장하여서 반드시 미련하고 어리석을 것이요, 여자로서 가르침을 받지 못하면 성장하여서 반드시 거칠고 세련되지 못할 것이니라고 하였다.

남 년 장 대 막 습 악 주 여 년 장 대 막 령 유 주
男年長大어든 莫習樂酒하고, 女年長大어든 莫令遊走하라.

[해설] 사내아이가 나이 들어 커 가거든 풍악과 술을 익히지 말도록 하고, 계집아이가 나이 들어 커 가거든 노닐며 돌아다니지 않도록 하라.

엄 부 출 효 자 엄 모 출 효 녀
嚴父는 出孝子하고, 嚴母는 出孝女니라.

[해설] 엄한 아버지는 효자를 배출해 내고, 엄한 어머니는 효녀를 배출해 내느니라.

련 아 다 여 봉 증 아 다 여 식
憐兒엔 多與棒이요, 憎兒엔 多與食이니라.

[해설] 귀여운 아이에겐 매질을 많이 할 것이요, 미운 아이에겐 밥을 많이 주는 법이니라.

인 개 애 주 옥 아 애 자 손 현
人皆愛珠玉하되 我愛子孫賢이니라.

[해설] 세상 사람 모두는 주옥(珠玉)을 좋아하지만, 나는 오로지 자손 훌륭함을 사랑하느니라.

11. 省心篇(성심편) — 자아(自我)의 성찰(省察)

● 우리는 매일매일 수염을 깎아야 하듯, 그 마음도 매일 다듬지 않으면 안 된다. 한 번 청소했다고 해서 언제까지나 방 안이 깨끗한 것은 아니다. 우리의 마음도 한 번 반성하고 좋은 뜻을 가졌다고 해서 그것이 항상 우리 마음속에 있는 것은 아니다. 어제 가진 뜻을 오늘 새롭게 하지 않으면 그것은 곧 우리를 떠나고 만다. 그렇기 때문에 어제의 좋은 뜻은 마음속에 새기며 되씹어야 한다. — M. 루터

경 행 록　　운　　보 화　　용 지 유 지　　충 효
景行錄에 云하되, 寶貨는 用之有盡이요 忠孝는
향 지 무 궁
享之無窮이니라.

[해설] 경행록에 이르기를, 보화는 쓰면 다함이 있되, 충효는 바칠수록 다함이 없느니라 하였다.

가 화 빈 야 호　　불 의　　부 여 하　　단 존 일 자
家和貧也好어니와 不義면 富如何오. 但存一子
효　　하 용 자 손 다
孝면 何用子孫多리요.

[해설] 집안이 화목하기만 하면 가난해도 좋거니와 의(義)롭지가 않으면 부자인들 무엇하랴. 단지 한 자식의 효도가 있다면 자손이 많아서 무엇하리요.

부 불 우 심　　인 자 효　　부 무 번 뇌　　시 처 현
父不憂心은 因子孝요, 夫無煩惱는 是妻賢이다.
언 다 어 실　　개 인 주　　의 단 친 소　　지 위 전
言多語失은 皆因酒요, 義斷親疎는 只爲錢이다.

[해설] 아버지가 근심하지 않음은 그 자식이 효도하는 때문이요, 남편에게 괴로움이 없음은 그 아내가 어진 때문이다. 말이 많아서 말로써 실수하는 것은 그 모두가 술 때문이요, 의(義)가 끊어지고 친분이 멀어지는 것은 오로지 돈 때문이니라.

기 취 비 상 락　　수 방 불 측 우
旣取非常樂이어든 須防不測憂니라.

[해설] 이미 비상한 즐거움을 얻었거든 모름지기 예측할 수 없는 근심을 방비해야 하느니라.

득 총 사 욕　　거 안 여 위
得寵思辱하고, 居安慮危니라.

[해설] 총애를 받게 되거든 욕됨을 생각하고, 편안함에 거(居)하거든 위태로움을 생각해야 하느니라.

영 경 욕 천 　　이 중 해 심
榮輕辱淺이요, 利重害深이니라.

[해설] 영화로움이 가벼우면 욕됨도 가볍고, 이로움이 무거우면 해로움도 깊느니라.

심 애 필 심 비 　　심 예 필 심 훼 　　심 희 필 심 우
甚愛必甚費요, 甚譽必甚毁니라. 甚喜必甚憂요,

심 장 필 심 망
甚臟必甚亡이니라.

[해설] 사랑함이 심하면 반드시 심한 소비를 가져 오고, 명예가 심하면 반드시 심한 헐뜯음을 가져 오느니라. 기뻐함이 심하면 반드시 심한 근심을 가져 오고, 뇌물을 탐함이 심하면 반드시 심한 멸망을 가져 오느니라.

자 　왈 　불 관 고 애 　　하 이 지 전 추 지 환 　　불
子가 曰, 不觀高崕면 何以知顚墜之患이며, 不

임 심 연 　　하 이 지 몰 익 지 환 　　불 관 거 해 　　하
臨深淵이면 何以知沒溺之患이며, 不觀巨海면 何

이 지 풍 파 지 환
以知風波之患이리요.

[해설] 공자가 말하기를, 높은 벼랑을 보지 않고서야 어찌 굴러떨어지는 환난을 알 수 있겠으며, 깊은 연못에 임하지 않고서야 어찌 빠져 죽는 환난을 알 수 있을 것이며, 큰 바다를 보지 않고서야 어찌 거센 풍파의 환난을 알 수 있으리요라고 하였다.

욕 지 미 래 　　선 찰 이 연
欲知未來인댄 先察已然이니라.

[해설] 미래를 알고 싶으면 먼저 지나간 일을 살펴보아야 하느니라.

자 왈 명경 소이찰형 왕자 소이
子가 曰, 明鏡은 所以察形이요, 往者는 所以
지금
知今이니라.

[해설] 공자가 말하기를, 거울은 얼굴을 살피는 수단이요, 지나간 것은 지금을 알게 하는 길이니라고 하였다.

과거사 여명조 미래사 암사칠
過去事는 如明朝요, 未來事는 暗似漆이니라.

[해설] 지나간 일은 그 밝기가 마치 거울과도 같고, 미래의 일은 그 어둡기가 마치 칠흑과도 같으니라.

경행록 운 명조지사 박모 불가필
景行錄에 云하되, 明朝之事를 薄暮에 不可必
박모지사 포시 불가필
이요, 薄暮之事를 晡時에 不可必이니라.

[해설] 경행록에 이르기를, 내일 아침의 일을 오늘 저녁에 반드시 기약할 수 없고, 오늘 저녁의 일을 오늘 포시에 기약할 수가 없느니라고 하였다.

참고 포시(晡時) : 신시(申時), 즉 지금의 오후 네 시(四時)를 일컫는다.

천유불측풍우 인유조석화복
天有不測風雨하고, 人有朝夕禍福이니라.

[해설] 하늘에는 예측할 수 없는 바람과 비가 있고, 사람에게는 아침 저녁으로 화(禍)와 복(福)이 있느니라.

미귀삼척토 난보백년신 이귀삼척토
未歸三尺土이면 難保百年身이요, 已歸三尺土이면
난보백년분
難保百年墳이니라.

[해설] 아직 석 자 흙으로 돌아가지 않고서는 백 년의 몸을 보존하기가 어렵고, 석 자 흙으로 돌아가서는 백 년의 무덤을 보존하기가 어렵느니라.

참고 삼척토(三尺土) : 석 자 흙, 즉 무덤을 뜻한다.

景行錄(경행록)에 云(운)하되, 木有所養則根本固而枝葉茂(목유소양즉근본고이지엽무)하여 棟樑之材(동량지재) 成(성)하고, 水有所養則泉源壯而流派長(수유소양즉천원장이류파장)하여 灌漑之利(관개지리) 博(박)하고, 人有所養則志氣大而識見明(인유소양즉지기대이식견명)하여 忠義之士(충의지사) 出(출)이니 可不養哉(가불양재)아.

[해설] 경행록에 이르기를, 나무를 잘 기르면 그 뿌리가 튼튼하고 가지와 잎이 무성하여 기둥과 들보의 재목이 이루어지고, 물을 잘 다스리면 그 근원이 왕성하고 흐름이 길어서 물대기에 이로움이 널리 베풀어지고, 사람을 잘 양성하면 그 뜻이 크고 식견이 밝아져서 충성스럽고 의로운 선비가 배출되나니 어찌 기르지 아니하랴라고 했다.

自信者(자신자)는 人亦信之(인역신지)하여 吳越(오월)이 皆兄弟(개형제)요, 自疑者(자의자)는 人亦疑之(인역의지)하여 身外皆敵國(신외개적국)이니라.

[해설] 스스로를 믿는 사람은 다른 사람도 또한 믿으니 오나라·월나라 사이라도 다 형제일 수가 있고, 스스로를 의심하는 사람은 다른 사람도 또한 의심하니 제 몸 외에는 모두가 적국이 되느니라.

참고 오월(吳越) : 중국 춘추 전국(春秋戰國) 시대 오나라와 월나라를 가리키는데, 오나라와 월나라는 오랜 동안 서로 적대(敵對) 관계에 있었으므로, 이에서 '오월'이라고 하면 서로 적의(敵意)를 품고 있음을 뜻하게 되었다. 그런데, 오나라는 지금의 강소성(江蘇省)을 중심으로 한 지역에 있었고, 월나라는 지금의 절강성(浙江省)·복건성(福建省) 등의 지역에 있었다.

疑人莫用(의인막용)하고, 用人勿疑(용인물의)니라.

[해설] 의심스러운 사람은 채용하지 말 일이요, 사람을 채용했거든 의심하지 말아야 하느니라.

諷諫(풍간)에 云(운)하되, 水底魚天邊雁(수저어천변안)은 高可射兮低可釣(고가사혜저가조)거니와, 惟有人心咫尺間(유유인심지척간)에 咫尺人心(지척인심)은 不可料(불가료)니라.

[해설] 풍간에 이르기를, 물 밑에 있는 물고기는 깊다 하여도 낚아 낼 수가 있고, 하늘 가에 날아가는 기러기는 높다 하여도 쏘아서 잡을 수가 있지만, 오로지 사람의 마음은 아주 가까운 사이에 있어도 가까이에 있는 사람의 마음만은 헤아릴 수가 없느니라고 하였다.

참고 풍간(諷諫) : 넌지시 나무라는 뜻을 둘러 비유로써 잘못을 바로잡도록 깨우침의 뜻인데, 여기에서는 금언(金言) 또는 속담(俗談) 정도의 뜻으로 해석함이 좋을 듯하다.

畫虎畫皮難畫骨(화호화피난화골)이요, 知人知面不知心(지인지면부지심)이니라.

[해설] 호랑이를 그리되 그 가죽은 그릴 수 있지만 그 뼈를 그리기는 어렵고, 사람을 알되 그 얼굴은 알지만 그 마음은 알 수가 없느니라.

對面共話(대면공화)하되, 心隔千山(심격천산)이니라.

[해설] 얼굴을 마주대하여 서로 말은 주고 받되, 마음은 천산(千山)이 막혀 있는 것과 같으니라.

海枯(해고)면 終見底(종견저)로되, 人死(인사)엔 不知心(부지심)이니라.

[해설] 바다가 마르면 마침내 그 바닥을 볼 수가 있되, 사람은 죽더라도 끝내 그 마음을 알 수가 없느니라.

太公(태공)이 曰(왈), 凡人(범인)은 不可逆相(불가역상)이요, 海水(해수)는 不可(불가)

두 량
斗量이니라.

[해설] 태공이 말하기를, 세상 사람은 앞질러서 점을 칠 수가 없고, 바닷물의 그 양은 되나 말로써 헤아릴 수 없느니라고 하였다.

경행록 운 결원어인 위지종화 사
景行錄에 云하되, 結怨於人을 謂之種禍요, 捨

선불위 위지자적
善不爲를 謂之自賊이니라.

[해설] 경행록에 이르기를, 다른 사람과 원한을 맺는 것을 가리켜 '화(禍)의 씨앗을 심는 것'이라 하고, 선(善)을 버리고 행하지 않음을 가리켜 '스스로를 해치는 일'이니라고 하였다.

약청일면설 편견상이별
若聽一面說이면 便見相離別이니라.

[해설] 만일 한 편의 말만 들으면 자칫 친한 사이라도 멀어지느니라.

포난 사음욕 기한 발도심
飽煖에 思淫慾하고, 飢寒에 發道心이니라.

[해설] 배부르고 따뜻하면 음탕한 욕심이 생각나고, 굶주리고 추워 보아야 도리에 맞는 마음이 생기느니라.

소광 왈 현인다재즉손기지 우인다재
疏廣이 曰, 賢人多財則損其志하고, 愚人多財

즉익기과
則益其過니라.

[해설] 소광이 말하기를, 어진 사람이 재물을 많이 가지게 되면 그 지조를 손상하게 되고, 어리석은 사람이 재물을 많이 가지게 되면 그 과실(過失)을 더하게 되느니라고 하였다.

참고 **소 광**(疏廣) : 중국 전한(前漢) 선제(宣帝) 때 사람으로, 자는 중옹(仲翁)인데, 〈춘추(春秋)〉에 정

통했다고 한다. 그는 태자(太子)의 스승으로서 5년간 재직하다가 사퇴하자, 선제가 많은 재물을 주었다. 그러나, 그는 그것을 모두 친구들에게 나누어 주고, 그 자신은 재물에 눈을 돌리지 않았다고 한다.

인 빈 지 단 복 지 심 령
人貧智短하고, 福至心靈이니라.

【해설】 사람이 가난하면 지혜가 얕아지고, 복(福)에 이르면 마음이 슬기로와지느니라.

불 경 일 사 불 장 일 지
不經一事면 不長一智니라.

【해설】 한 가지 일도 경험하지 않으면 한 가지 지혜도 자라지 않느니라.

시 비 종 일 유 불 청 자 연 무
是非終日有라도 不聽이면 自然無니라.

【해설】 옳고 그름이 하루 종일 있더라도 그것을 듣지 않으면 저절로 사라지느니라.

내 설 시 비 자 편 시 시 인 비
來說是非者는 便是是人非니라.

【해설】 일부러 와서 옳고 그름을 말하는 사람이 곧 시비하는 사람이니라.

격 양 시 운 평 생 부 작 추 미 사 세 상
擊壤詩에 云하되, 平生에 不作皺眉事면 世上에
응 무 절 치 인 대 명 기 유 전 완 석 노 상 행
應無切齒人이라. 大名이 豈有鐫頑石가. 路上行
인 이 구 승 비
人以 口勝碑니라.

【해설】 격양시에 이르기를, 평생에 눈썹 찡그릴 일을 하지 않으면 세상에 이를 갈 사람은 없으리라. 위대한 명성이 어찌 저 미련한 돌에다가 새기는 데에 있겠는가. 길거리 행인들의 입술〔말〕이 비문(碑文)을 이기느니라고 하였다.

유사 자연향 하필당풍립
有麝 自然香이니, 何必當風立가.

[해설] 사향을 지녔으면 그 향기가 저절로 풍기리니, 어찌 꼭 바람이 불어야만 서겠는가(향기롭겠는가).

참고 **사향(麝香)** : 주로 중앙 아시아나 운남(雲南) 등지에 있는 사향노루의 사향낭〔수컷의 배꼽과 불두덩을 싸고 있는 주머니〕에서 얻어지는 향료인데, 검은 갈색의 가루로서 그 향기가 몹시 강하다. 이것은 약료(藥料)로서도 쓰인다.

유복막향진 복진신빈궁 유세막사진
有福莫享盡하라, 福盡身貧窮이라. 有勢莫使盡하라,
세진원상봉 복혜상자석 세혜상자공
勢盡冤相逢이니라. 福兮常自惜하고 勢兮常自恭
인생교여치 유시다무종
하라. 人生驕與侈가 有始多無終이니라.

[해설] 복(福)이 있다고 다 누리지 말아라, 복이 다하면 몸이 빈궁해지리라. 세력이 있다고 마구 행사하지 말아라, 세력이 다하면 원수와 만나게 되느니라. 복이 있을 때에는 항상 스스로 절제하고, 세력이 있거든 항상 스스로 공손하여라. 인생에 있어서 교만함과 사치스러움은 처음에는 많이 있되 나중에는 없느니라.

왕참정사류명 왈 유유여부진지교 이
王參政四留銘에 曰, 留有餘不盡之巧하여 以
환조물 유유여부진지록 이환조정
還造物하고, 留有餘不盡之祿하여 以還朝廷하고,
유유여부진지재 이환백성 유유여부진
留有餘不盡之財하여 以還百姓하고, 留有餘不盡
지복 이환자손
之福하여 以還子孫이니라.

[해설] 왕 참정의 사류명에 이르기를, 여유를 두고 재주를 다 쓰지 않았다가 조물주에게 돌려 주고, 여유를 두고 봉록(俸祿)을 다 쓰지 않았다가 조정에 돌려 주고, 여유를 두고 재물을 다 쓰지 않았다가 백성에게 돌려 주고, 여유를 두고 복(福)을 다 누리지 않았다가 자손에게 돌려 주어야 하느니라고 하였다.

참고 왕 참정(王參政) : 중국 북송(北宋) 진종(眞宗) 때의 정치가로, 이름은 단(旦)이다.
사류명(四留銘) : '남겨 둠(유의함)'에 관한 네 가지의 명문(銘文)을 일컫는다.

황금천량　미위귀　득인일어승 천금
黃金千兩이 未爲貴요, 得人一語勝 千金이니라.

[해설] 황금 천 냥이 귀할 것이 없고, 사람으로부터 좋은 말 한 마디 듣는 것이 천금보다 나으니라.

교자　졸지노
巧者는 拙之奴니라.

[해설] 재주가 있는(잘하는) 사람은 옹졸한(못하는) 사람의 노예이니라.

황금　미시귀　안락　치전다
黃金이 未是貴요, 安樂이 値錢多니라.

[해설] 황금이 귀한 것이 아니요, 안락한 것이 보다 값진 것이니라.

재가　불회요빈객　출외　방지소주인
在家에 不會邀賓客이면 出外라야 方知少主人이니라.

[해설] 자기 집에 있어서 손님을 맞아들일 줄 모르면 밖에 나갔을 때에야 비로소 주인을 비난함을 알게 될 것이니라.

빈거요시무상식　부주심산유원친
貧居鬧市無相識이요, 富住深山有遠親이니라.

[해설] 가난하게 살면 비록 잡다한 시장터에 살아도 서로 아는 사람이 없을 것이요, 부유하게 살면 비록 깊은 산골에 살아도 먼 곳에서 찾아오는 친구가 있느니라.

인의　진종빈처단　세정　편향유전가
人義는 盡從貧處斷이요, 世情은 便向有錢家니라.

[해설] 사람의 의리는 그 모두가 가난한 데에서 끊어지고, 세상의 인정은 곧잘 돈 있는 집으로 쏠리느니라.

영 색 무 저 항 　 난 색 비 하 횡
寧塞無底缸이언정 難塞鼻下横이니라.

[해설] 차라리 밑이 빠진 항아리를 막을지언정 코 아래에 가로질린 것(입)은 막기 어렵느니라.

인 정 　 개 위 군 중 소
人情은 皆爲窘中疎니라.

[해설] 세상의 정분은 그 모두가 군색해지는 가운데에서 멀어지느니라.

사 기 　 왈 　 교 천 례 묘 　 비 주 불 향 　 군 신 붕 우 　 비 주 불 의 　 투 쟁 상 화 　 비 주 불 권
史記에 曰, 郊天禮廟에 非酒不享이요, 君臣朋友에 非酒不義요, 鬪爭相和에 非酒不勸이라,

고 　 주 유 성 패 이 불 가 범 음 지
故로 酒有成敗而不可泛飮之니라.

[해설] 사기에 이르기를, 하늘에 교제(郊祭) 지내고 사당에 제례를 올림에도 술이 아니라면 그것을 받지 않을 것이요, 임금과 신하, 친구와 친구 사이에도 술이 아니라면 그 정분이 두터워지지 않을 것이요, 싸우고 서로 화해하는 데에도 술이 아니라면 권할 것이 없을 것이니라. 그러므로, 술에는 성취와 실패가 있으니, 이를 함부로 마시지 못하느니라고 하였다.

참고 **사기**(史記) : 중국 한(漢)나라 사마 천(司馬遷)이 황제(黃帝)로부터 한나라 무제(武帝)까지의 역대 왕조의 사적을 기전체(紀傳體)로 기록한 130권의 역사책으로, 본기(本紀) 12권, 세가(世家) 30권, 열전(列傳) 70권, 연표(年表) 10권, 서(書) 8권으로 되어 있다. 전한(前漢) 초기에 완성된 이 책은 재래의 전설이나 기록 외에도 널리 여행하여 사료(史料)를 수집한 것으로, 사서(史書)로서뿐만 아니라 그 문학적 가치도 높이 평가되며, 중국의 정사(正史)와 기전체의 시초라고 인정되고 있다.

교제(郊祭) : 고대 중국에서 천자(天子)가 도성(都城)의 남쪽 들에서 천신(天神)에게 드리던 제사이다.

자 작 　 환 자 수
自作이 還自受니라.

[해설] 자기가 지은 소행은 자기가 도로 받게 되느니라.

자 왈 사 지어도이치악의악식자 미족
子가 曰, 士 志於道而恥惡衣惡食者는 未足

여의야
與議也니라.

[해설] 공자가 말하기를, 선비가 도(道)에 뜻을 두었으면서도 나쁜 옷을 입고 나쁜 음식 먹기를 부끄러워하는 사람은 족히 더불어 의논할 사람이 되지 못하느니라고 했다.

순자 왈 사유투우즉현교불친 군유투
荀子가 曰, 士有妬友則賢交不親하고, 君有妬

신즉현인부지
臣則賢人不至니라.

[해설] 순자가 말하기를, 선비에게 시기하는 친구가 있으면 어진 친구와 사귈 수가 없고, 임금에게 시기하는 신하가 있으면 어진 사람이 오지를 않느니라고 하였다.

천불생무록지인 지불장무명지초
天不生無祿之人이요, 地不長無名之草니라.

[해설] 하늘은 녹이 없는 사람을 낳지 아니하고, 땅은 이름 없는 풀을 키우지 아니하느니라.

대부 유천 소부 유근
大富는 由天하고, 小富는 由勤이니라.

[해설] 큰 부자가 되는 것은 하늘에 달려 있고, 작은 부자가 되는 것은 부지런함에 달려 있느니라.

성가지아 석분여금 패가지아 용금여
成家之兒는 惜糞如金하고, 敗家之兒는 用金如

분
糞이니라.

[해설] 집안을 성공하게 할 아이는 인분도 금과 같이 아끼고, 집안을 망하게 할 아이는 금도 인분과 같이 쓰느니라.

강절소선생 왈 한거 신물설무방 재
康節邵先生이 曰, 閑居에 愼勿說無妨하라, 纔

설무방편유방 상구물다능작질 쾌심
說無妨便有妨이니라. 爽口物多能作疾이요, 快心

사과필유앙 여기병후능복약 불약병전
事過必有殃이라. 與其病後能服藥으론 不若病前

능자방
能自防이니라.

[해설] 강절 소 선생이 말하기를, 편안하고 한가로울 때에 나에게는 아무 걱정거리가 없다고 말하지 말라. 겨우 걱정거리가 없다고 말하자 곧 걱정거리가 생기느니라. 입에 상쾌한 음식이라도 많이 먹으면 결국에는 병이 생기는 것이요, 마음에 쾌적한 일이라도 지나치게 하면 반드시 재앙이 있게 되느니라. 병이 난 후에 약을 잘 복용하는 것은 병이 나기 전에 훌륭히 스스로 예방함보다 못하느니라고 하였다.

자동제군수훈 왈 묘약 난의원채병
梓潼帝君垂訓에 曰, 妙藥이 難醫寃債病이요,

횡재 불부명궁인 생사사생 군막원
橫財는 不富命窮人이라. 生事事生을 君莫怨하고,

해인인해 여휴진 천지자연개유보
害人人害를 汝休嗔하라. 天地自然皆有報하니

원재아손근재신
遠在兒孫近在身이니라.

[해설] 자동제군이 후세에 전하는 교훈에 이르기를, 제아무리 신묘한 약이라고 하여도 원한의 병은 고치지를 못하고, 뜻밖에 생긴 재물은 운수가 궁한 사람을 부자가 되게 하지는 못하느니라. 일이 생기게 하였으면서 일이 생기는 것을 그대는 원망하지를 말고, 다른 사람을 해치고서 다른 사람이 해치는 것을 분하게 여기지를 말라. 하늘과 땅의 모든 일에는 자연히 모두 그 갚음이 있나니, 그것은 멀게는 자손에게 있고, 가까이는 제 몸에 있느니라고 하였다.

참고 자동제군(梓潼帝君) : 중국에서 사람의 녹적(祿籍)이나 문장(文章)을 맡았다고 하는 신(神)으로, 괴성(魁星)이라고도 한다. 이 신은 과거(科擧)를 보는 해[年] 같은 때에는 특히 수험자들이 이를 믿었다고 한다.

화 락 화 개 개 우 락　금 의 포 의 갱 환 착　호 가
花落花開開又落하고, 錦衣布衣更換着이라. 豪家

미 필 상 부 귀　빈 가　미 필 장 적 막　부
도 未必常富貴요, 貧家도 未必長寂寞이라. 扶

인　미 필 상 청 소　추 인　미 필 진 구 학
人에 未必上青霄요, 推人에 未必塡邱壑이라.

권 군 범 사　막 원 천　천 의 어 인　무 후 박
勸君凡事를 莫怨天하라. 天意於人에 無厚薄이니라.

[해설] 꽃은 지었다 피고 피었다 또 지고, 비단옷 베옷도 바뀌어 입혀지느니라. 호화로운 집이라 해서 항상 부귀한 것은 아니요, 빈곤한 집이라고 해서 집이 적막한 것은 아니니라. 사람을 붙들어 올려도 반드시 저 푸른 하늘에까지는 받쳐 올리지는 못하고, 사람을 밀어뜨려도 반드시 저 깊은 구렁에다 아주 처박지는 못하리라. 그대에게 권하노니, 무릇 일을 두고 하늘을 원망하지 말라. 하늘의 뜻이야 본래 사람에게 후하고 박한 차별을 두지는 않느니라.

감 탄 인 심　독 사 사　수 지 천 안　전 여 차
堪歎人心이 毒似蛇라. 誰知天眼이 轉如車요,

거 년　망 취 동 린 물　금 일　환 귀 북 사 가
去年에 妄取東隣物터니 今日에 還歸北舍家라.

무 의 전 재　탕 발 설　당 래 전 지　수 추 사
無義錢財는 湯潑雪이요, 儻來田地는 水推沙라.

약 장 교 휼 위 생 계　흡 사 조 운 모 락 화
若將校譎爲生計면 恰似朝雲暮落花라.

[해설] 한탄스럽도다, 사람의 마음이 뱀과도 같음이. 하늘의 눈이 수레바퀴인 양 구르는 것을 그 누가 알리요. 지난 해에 망령되이 동쪽 이웃의 물건을 취하더니, 오늘에는 어느덧 북쪽 집으로 돌아갔느니라. 의(義)롭지 않게 취한 재물은 끓는 물에 뿌려지는 눈〔雪〕이요, 뜻밖에 얻어진 밭은 물살에 밀리는 모래이니라. 교활한 꾀로써 생활하는 법을 삼는다면 그것은 마치 아침에 피는 꽃이요 저녁에 지는 꽃과도 같다.

무 약 가 의 경 상 수　유 전 난 매 자 손 현
無藥可醫卿相壽요, 有錢難買子孫賢이니라.

[해설] 재상의 목숨을 고칠 약이 없고, 돈으로도 자손의 어짊을 사지는 못하느니라.

일일청한　　　일일선
一日清閑이면 一日仙이니라.

[해설] 하루가 맑고 한가로우면 이것이 바로 하루의 신선(神仙)이니라.

진종황제어제　왈　지위식험　종무라망
眞宗皇帝御製에 曰, 知危識險이면 終無羅網

지문　거선천현　자유안신지로　시인
之門이요, 擧善薦賢이면 自有安身之路라. 施仁

포덕　내세대지영창　회투보원　여자손
布德은 乃世代之榮昌이요, 懷妬報寃은 與子孫

지위환　손인이기　종무현달운잉　해
之爲患이라. 損人利己면 終無顯達雲仍이요, 害

중성가　기유장구부귀　개명이체　개인
衆成家면 豈有長久富貴리요. 改名異體는 皆因

교어이생　화기상신　개시불인지소
巧語而生이요, 禍起傷身은 皆是不仁之召니라.

[해설] 진종 황제가 어제(御製)에 이르기를, 위태로움을 알고 험함을 알면 내내 덫에 걸리는 일은 없을 것이요, 착한 사람을 추어올리고 어진 사람을 천거하면 저절로 몸이 편안한 길이 있으리라. 어진 일을 베풀고 덕을 펴는 것은 곧 대대로 영광을 가져오는 것이요, 질투하고 시기하는 마음을 갖고 원한을 보복하는 것은 자손에게까지도 환난을 끼쳐 주느니라. 다른 사람을 해치고 자기만을 이롭게 한다면 결국에는 출세하는 자손이 없을 것이요, 뭇사람을 해쳐서 집안을 이룬다면 그 어찌 부귀가 오래 갈 수 있으리요. 이름을 바꾸고 몸까지를 다르게 해야 됨은 그 모두가 다 말을 꾸밈에서 생기는 것이요, 화(禍)가 일어나 몸이 상하게 됨은 그 모두가 다 어질지 못한 소치이니라고 하였다.

참고 진종 황제(眞宗皇帝; 968～1022) : 중국 송(宋)나라의 제3대 임금인데, 경덕(景德) 원년(1004년)에 요(遼)의 성종(成宗)이 남침하자 스스로 나아가 이를 정벌했다고 한다.

어제(御製) : 임금이 지은 시문(詩文)을 일컫는다.

나망(羅網) : 새를 잡는 데에 쓰이는 그물, 또는 짐승을 잡는 데에 쓰이는 덫을 말한다. 그러나, 불교에 있어서는 불전(佛前)을 장식하는 기구를 가리키는데, 구슬을 꿰어서 그물처럼 만든다.

신종황제어제 왈 원비도지재 계과도
神宗皇帝御製에 曰, 遠非道之財하고 戒過度
지주 거필택린 교필택우 질투
之酒하며, 居必擇隣하고 交必擇友하며, 嫉妬를
물기어심 참언 물선어구 골육빈자
勿起於心하고 讒言을 勿宣於口하며, 骨肉貧者를
막소 타인부자 막후 극기 이근검
莫疎하고 他人富者를 莫厚하며, 克己는 以勤儉
위선 애중 이겸화위수 상사이왕지
爲先하고 愛衆은 以謙和爲首하며, 常思已往之
비 매념미래지구 약의짐지사언 치
非하고 每念未來之咎하라. 若依朕之斯言이면 治
국가이가구
國家而可久니라.

[해설] 신종 황제가 어제에 이르기를, 도리에 어긋난 재물은 멀리 하고 정도에 지나친 술은 경계하며, 이웃을 가려서 살고 친구를 가려서 사귀며, 마음에는 질투를 일으키지 말고 입으로는 헐뜯는 말을 내지 말며, 친척의 가난한 사람을 소홀히 하지 말고 다른 사람의 부자됨을 두둔하지 말며, 자기를 이김에는 근면과 검소함을 우선하고 뭇 사람을 사랑함에는 겸양과 화목함을 으뜸으로 하며, 항상 지난날의 잘못을 생각하고 매번 앞으로의 허물에 유념하라. 만일 나의 이 말에 따른다면 나라와 집안이 다스려져서 가히 길이(오래) 가리라고 하였다.

참고 **신종 황제**(神宗皇帝; 1048~1085) : 중국 북송(北宋)의 제6대 임금으로, 영종(英宗)의 아들이다. 그는 왕안석(王安石)을 등용하고 신법(新法)으로 부국 강병책(富國強兵策)을 도모하였으나, 내정(內政)의 파탄과 외정(外征)의 실패 및 구법당(舊法黨) 등의 반대로 뜻을 이루지 못하였다.

고종황제어제 왈 일성지화 능소만경지
高宗皇帝御製에 曰, 一星之火 能燒萬頃之
신 반구비언 오손평생지덕 신피일
薪하고, 半句非言이 誤損平生之德이라. 身被一
루 상사직녀지로 일식삼손 매념농
縷나 常思織女之勞하고, 日食三飧이나 每念農

부지고 夫之苦하라. 구탐투손 苟貪妬損은 종무십재안강 終無十載安康하고, 적선존인 積善存仁이면 필유영화후예 必有榮華後裔니라. 복연선경 福緣善慶하니 다인적행이생 多因積行而生이요, 입성초범 入聖超凡은 진시진실이득 盡是眞實而得이니라.

[해설] 고종 황제가 어제에 이르기를, 깜박거리는 한 점의 불티가 능히 넓디 넓은 숲을 태우고, 반 마디의 그릇된 말은 잘못 평생의 덕을 무너뜨리느니라. 몸에 한 오라기의 실이라도 감았거던 항상 베짜는 여자의 수고로움을 생각하고, 하루에 세 끼의 밥을 먹거던 늘 농사짓는 사람의 노고를 생각하라. 구차하게 탐하고 시기하여 다른 사람에게 손해를 준다면 필경 십 년의 편안함도 없을 것이요, 선(善)을 쌓고 인(仁)을 보존해 가면 반드시 영화로운 후손이 있게 되느니라. 복(福)은 선함에 연유되어서 오는 것이나니 그것은 실행을 쌓아 감에서 생기는 것이고, 범용(凡庸)을 뛰쳐나와 성현(聖賢)의 경지에 들어감은 그 모두가 다 진실함 때문에 얻어지는 것이니라고 하였다.

참고 **고종 황제**(高宗皇帝; 1107~1187) : 중국 남송(南宋)의 제 1 대 임금으로, 휘종(徽宗)의 아들이다. 1127년에 금(金)나라 군사의 공격으로 인하여 정강(靖康)의 난이 일어나자, 그는 황제의 자리에 올라 서울을 강남의 임안(臨安)으로 옮기었다. 그리고, 재상인 진회(秦檜)와 합세하여 주전파(主戰派)인 악비(岳飛)를 물리쳐 금나라와는 굴욕적인 화약(和約)을 맺었다.

왕량 王良이 왈 曰, 욕지기군 欲知其君인댄 선시기신 先視其臣하고, 욕식기인 欲識其人인댄 선시기우 先視其友하고, 욕지기부 欲知其父인댄 선시기자 先視其子하라. 군성신충 君聖臣忠하고, 부자자효 父慈子孝니라.

[해설] 왕량이 말하기를, 그 임금을 알려거든 먼저 그 신하를 보고, 그 사람을 알려거든 먼저 그 친구를 보고, 그 아버지를 알려거든 먼저 그 아들을 보라. 임금이 거룩하면 그 신하가 충성스럽고, 아버지가 인자하면 그 아들이 효성스러우니라고 했다.

참고 **왕량**(王良) : 중국 춘추(春秋) 시대 진(晋)나라의 사람인데, 그는 말타기에 특히 뛰어났다고 한다.

가어 家語에 운 云하되, 수지청즉무어 水至清則無魚하고, 인지찰즉무 人至察則無

도
徒니라.

[해설] 가어에 이르기를, 물이 지나치게 맑으면 물고기가 없고, 사람이 지나치게 살피면(따지면) 그를 따르는 사람이 없느니라고 하였다.

참고 가어(家語) : 〈공자 가어(孔子家語)〉를 줄여서 일컫는데, 이것은 공자의 언행(言行) 및 문인(門人)과의 문답(問答) · 논의(論議)를 적은 책으로, 위(魏)나라의 왕숙(王肅) 위작(僞作)이라 전하기도 한다. 이 책은 처음엔 27권이었으나, 그 후에 흩어져 없어져, 왕숙이 주(註)를 붙여 10권 44편으로 만들었다.

허경종 왈, 춘우여고 행인 악기니녕
許敬宗이 曰, 春雨如膏나 行人은 惡其泥濘
추월양휘 도자 증기조감
하고, 秋月揚輝나 盜者는 憎其照鑑이니라.

[해설] 허경종이 말하기를, 봄비가 기름과도 같으나 길을 가는 사람은 그 질척함을 싫어하고, 가을 달이 휘영청 밝지마는 도둑놈은 그 비췸을 싫어하느니라고 하였다.

참고 허경종(許敬宗) · 중국 당(唐)나라 때의 정치가로, 자는 연족(延族)이다.

경행록 운 대장부 견선 명고 중명
景行錄에 云하되, 大丈夫 見善이 明故로 重名
절어태산 용심 정고 경사생어홍모
節於泰山하고, 用心이 精故로 輕死生於鴻毛니라.

[해설] 경행록에 이르기를, 대장부는 선(善)을 분명히 알기 때문에 명분과 절개를 태산보다도 더 무겁게 여기고, 마음 씀씀이가 엄밀하므로 죽고 사는 것을 기러기의 털보다도 가볍게 여기느니라고 하였다.

민인지흉 낙인지선 제인지급 구인
悶人之凶하고 樂人之善하며, 濟人之急하고 救人
지위
之危니라.

[해설] 다른 사람의 흉함을 불쌍하게 여기고 다른 사람의 선함을 즐겁게 여기며, 다른 사람의 다급함을 건져 주고 다른 사람의 위태로움을 구하여 주어야 하느니라.

경목지사 공미개진 배후지언 기족
經目之事도 恐未皆眞이어늘 背後之言을 豈足

심 신
深信 이리요.

[해설] 눈으로써 직접 본 일이라도 그 모두가 다 진실이 아닐 수도 있거늘 하물며 등 뒤에서 한 말이야 어찌 족히 믿을 수가 있으리요.

불 한 자 가 급 승 단　　지 한 타 가 고 정 심
不恨自家汲繩短 이요, 只恨他家苦井深 이로다.

[해설] 자기 집의 두레박 줄이 짧은 것은 탓하지를 않고, 다른 사람의 집 우물이 깊은 것만 탓하는도다.

장 람　만 천 하　죄 구 박 복 인
贓濫 이 滿天下 하되 罪拘薄福人 이니라.

[해설] 뇌물을 받고 법을 어긴 사람이 이 세상에 가득 하건만 박복한 사람만이 죄로 구속되느니라.

천 약 개 상　불 풍 즉 우　인 약 개 상　불 병
天若改常 이면 不風即雨 요, 人若改常 이면 不病
즉 사
即死 니라.

[해설] 만일 하늘이 떳떳한 도리를 어긴다면 바람 아니면 비가 올 것이요, 만일 사람이 떳떳한 도리를 어긴다면 병들지 않으면 죽게 되느니라.

장 원 시　운　국 정 천 심 순　관 청 민 자 안
壯元詩 에 云 하되, 國正天心順 이요, 官清民自安 이라.
처 현 부 화 소　자 효 부 심 관
妻賢夫禍少 요, 子孝父心寬 이니라.

[해설] 장원시에 이르기를, 나라가 바르면 하늘의 뜻도 순해지고, 관리가 청렴하면 백성은 저절로 편안해지리라. 아내가 어질면 그 남편에게는 화가 적고, 자식이 효성스러우면 그 아버지의 마음은 너그러워지느니라고 하였다.

참고 장원시(壯元詩) : 과거(科擧)에 급제한 사람의 시(詩)를 일컫는다.

자 왈 목종승즉직 인수간즉성
子가 曰, 木縱繩則直하고, 人受諫則聖이니라.

[해설] 공자가 말하기를, 나무는 먹줄에 좇으면 곧게 되고, 사람은 다른 사람의 충고를 받아들여야 거룩하게 되느니라고 하였다.

일파청산경색유 전인전토 후인수 후
一派青山景色幽러니 前人田土를 後人收라. 後
인 수득막환희 갱유수인 재후두
人은 收得莫歡喜하라. 更有收人이 在後頭니라.

[해설] 한 줄기의 푸른 산 경치가 그윽한데 앞사람의 밭을 뒷사람이 차지하는도다. 뒷사람은 그것을 차지했다고 해서 기뻐하지 말라. 그것을 다시 차지할 사람이 뒤에 잇달아 있느니라.

소동파 왈 무고이득천금 불유대복
蘇東坡가 曰, 無故而得千金이면, 不有大福이라
필유대화
必有大禍니라.

[해설] 소 동파가 말하기를, 아무런 이유 없이 천금을 얻으면, 큰 복이 있는 것이 아니라 거기엔 반드시 큰 화(禍)가 있느니라고 하였다.

참고 소 동파(蘇東坡; 1036~1101) : 중국 북송(北宋)의 문인으로, 이름은 식(軾), 자는 자첨(子瞻)이며, 동파(東坡)는 호이다. 당송 팔대가(唐宋八大家)의 한 사람인 그는 아버지인 순(洵)과 동생인 철(轍)과 더불어 '삼소(三蘇)'라고 불리는데, 그는 왕 안석(王安石)과 대립해 좌천되었으나, 후에 철종(哲宗)에 의하여 중용(重用)되어 구법파(舊法派)를 대표하였다. 그는 특히 문인(文人)으로서는 송대(宋代)의 제일인자로 꼽히는데, 서화(書畫)에도 능하였다. 대표작은 〈적벽부(赤壁賦)〉, 저서에는 〈동파 전집(東坡全集)〉이 있다.

강절소선생 왈 유인 내문복 여하시
康節邵先生이 曰, 有人이 來問卜하되 如何是
화복 아휴인시화 인휴아시복
禍福고. 我虧人是禍요, 人虧我是福이니라.

[해설] 강절 소 선생이 말하기를, 나에게 어떤 것이 곧 화와 복이 되느냐고 점을 쳐 달라고 와서 묻는 사람이 있기에, 내가 다른 사람을 이지러지게 하면 곧 화가 되고, 다른 사람이 나를 이지러지게 하는 것이 오히려 복이 되느니라고 하였다.

대하천간 야와팔척 양전만경 일
大厦千間이라도 夜臥八尺이요, 良田萬頃이라도 日
식이승
食二升이니라.

[해설] 큰 집이 천 간이나 있다고 해도 밤에 눕는 곳은 여덟 자뿐이요, 좋은 밭이 넓고 넓다고 해도 하루에 먹은 것은 두 되뿐이니라.

구주 영인천 빈래 친야소 단간삼
久住면 令人賤이요, 頻來면 親也疎라. 但看三
오일 상견불여초
五日에 相見不如初라.

[해설] 오래 머무르면 다른 사람으로부터 업신여김을 당하고, 자주 오면 친분도 멀어지느니라. 단지 사흘이나 닷새 사이에도 서로 보는 것이 처음과는 같지 않음을 알게 되리라.

갈시일적 여감로 취후첨배 불여무
渴時一滴은 如甘露요, 醉後添盃는 不如無니라.

[해설] 목이 마를 때의 한 방울 물은 마치 단 이슬과도 같고, 취한 후에 잔을 더함은 없음만(마시지 않음만) 같지 못하느니라.

주불취인인자취 색불미인인자미
酒不醉人人自醉요, 色不迷人人自迷니라.

[해설] 술이 사람을 취하게 하는 것이 아니라 그 사람 스스로가 취하는 것이요, 미색(美色)이 사람을 미혹시키는 것이 아니라 그 사람 스스로가 미혹되는 것이니라.

공심 약비사심 하사불변 도념 약
公心이 若比私心이면 何事不辨이며, 道念이 若
동정념 성불다시
同情念이면 成佛多時니라.

[해설] 만일 공(公)을 위하는 마음이 사(私)를 위하는 마음만큼이라면 어떤 일에서든 옳고 그름을 가려 내지 못할 것이며, 만일 도리를 생각하는 마음이 남녀의 정념과 같다면 성불(成佛)한 지는 이미 오래였으리라.

濂溪先生(염계선생)이 曰(왈), 巧者言(교자언)하고 拙者默(졸자묵)하며, 巧者勞(교자로)하고 拙者逸(졸자일)하며, 巧者賊(교자적)하고 拙者德(졸자덕)하며, 巧者凶(교자흉)하고 拙者吉(졸자길)하나니, 嗚呼(오호)라 天下拙(천하졸)이면 刑政(형정)이 徹(철)하여 上安下順(상안하순)하며, 風淸弊絶(풍청폐절)이니라.

[해설] 염계 선생이 말하기를, 재주 있는 사람은 말을 잘하지만 어리석은 사람은 말이 없으며, 재주 있는 사람은 애를 쓰지만 어리석은 사람은 안일하며, 재주 있는 사람은 해를 끼치지만 어리석은 사람은 덕성스러우며, 재주 있는 사람은 흉하지만 어리석은 사람은 길하나니, 아 천하가 모두 어리석다면 형벌로써 다스리는 정치가 거두어져 웃사람은 편안하고 아랫사람은 순하며, 풍속은 맑아지고 폐단은 끊어질 것이니라고 하였다.

참고 염계 선생(濂溪先生; 1017~1073) : 송학(宋學)의 시조라고 불리는 중국 북송(北宋) 때의 유학자(儒學者)로, 성은 주(周), 이름은 돈이(敦頤), 자는 무숙(茂叔)이며, 염계(濂溪)는 호이다. 그는 〈태극도설(太極圖說)〉과 〈통서(通書)〉를 저술하여 종래의 인생관에다 우주관을 통합하고, 그에 일관된 원리를 수립하였는데, 이것이 곧 성리학(性理學)으로 발달하였다.

易(역)에 曰(왈), 德微而位尊(덕미이위존)하고, 智小而謀大(지소이모대)면 無禍者(무화자) 鮮矣(선의)니라.

[해설] 주역에 이르기를, 덕이 없으면서도 지위가 높고, 지혜가 없으면서도 꾀하는 것이 크면 진실로 화를 당하지 않을 사람은 드물 것이니라고 하였다.

참고 주역(周易) : 제일로 평가되는 고대 중국의 철학서로, 오경(五經)의 하나인데, 주대(周代)에 대성되었기 때문에 '주역'이라 하며, 줄여서 '역(易)'이라고 한다. 길흉(吉凶)을 판단하여 점치는 이 책은 가장 난해한 경서(經書)의 하나인데, 음양(陰陽) 이원(二元)으로써 천지간의 만상(萬象)을 설명하였다.

說苑(설원)에 曰(왈), 官怠於宦成(관태어환성)하고 病加於小癒(병가어소유)하며,

화 생 어 해 태　　　효 쇠 어 처 자　　　찰 차 사 자
禍生於懈怠하고 孝衰於妻子니, 察此四者하여
신 종 여 시
愼終如始니라.

[해설] 설원에 이르기를, 다스리는 사람의 도(道)는 지위가 성취되는 데에서 게을러지고, 병은 얼마쯤 치유되는 데에서 더해지며, 화(禍)는 게으른 데에서 생기고, 효도는 처자식을 갖는 데에서 흐려지노니, 이 네 가지를 살펴서 나중을 삼가기를 처음과 같이 할 일이니라고 하였다.

참고 설원(說苑) : 한(漢)나라 유 향(劉向)이 편찬한 20권의 책으로, 각 편의 처음에는 서설(序說)을 말하고, 그 뒤에다가는 일화(逸話)를 열거하였다. 그런데, 각 편은 군도(君道)·신술(臣術)·건본(建本)·입절(立節)·귀덕(貴德)·부은(復恩)·정리(政理)·존현(尊賢)·정간(正諫)·선설(善說)·권모(權謀)·지공(至公)·담총(談叢)·잡언(雜言)·수문(修文) 등이다.

기 만 즉 일　　　인 만 즉 상
器滿則溢하고, 人滿則喪이니라.

[해설] 그릇이 가득 차게 되면 넘치고, 사람이 자만하면 이지러지느니라.

양 갱　　수 미　　중 구　　난 조
羊羹이 雖美나, 衆口는 難調니라.

[해설] 양고기 국은 비록 그 맛이 좋으나, 뭇사람의 입에 다 맞기는 어렵느니라.

척 벽　　비 보　　촌 음　　시 경
尺璧이 非寶요, 寸陰을 是競이니라.

[해설] 한 자나 되는 옥(玉)으로 된 벽이 보배가 아니요, 한 치의 시간을 다투어야 하느니라.

익 지 서　　운　　백 옥　　투 어 니 도　　불 능 오
益智書에 云하되, 白玉은 投於泥塗라도 不能汚
예 기 색　　군 자　　행 어 탁 지　　불 능 염 란 기
穢其色이요, 君子는 行於濁地라도 不能染亂其
심　　고　　송 백　　가 이 내 설 상　　명 지
心하나니, 故로 松栢은 可以耐雪霜이요, 明智는

가 이 섭 위 난
可以涉危難이니라.

[해설] 익지서에 이르기를, 흰 옥(玉)은 진흙 속에 던져지더라도 그 빛이 더럽혀지지 않고, 군자는 혼탁한 곳에 가더라도 그 마음은 어지럽혀지지 않나니, 그러므로 송백 나무는 눈〔雪〕과 서리에도 견디어 내고, 밝은 지혜는 위급한 곤란을 건너느니라(이기느니라)고 하였다.

입 산 금 호 이 　 개 구 고 인 난
入山擒虎易어니와 開口告人難이니라.

[해설] 산에 들어가서 호랑이를 잡기는 쉽지만, 입을 열어 다른 사람에게 고하기는(알리기는) 어렵느니라.

원 수 　 불 구 근 화 　 원 친 　 불 여 근 린
遠水는 不救近火요, 遠親은 不如近隣이니라.

[해설] 먼 곳에 있는 물은 가까운 데에 있는 불을 끄지 못하고, 먼 곳에 있는 친척은 가까운 이웃만 못하느니라.

태 공 　 왈 　 일 월 　 수 명 　 불 조 복 분 지 하
太公이 曰, 日月이 雖明이나 不照覆盆之下

도 인 　 수 쾌 　 불 참 무 죄 지 인 　 비 재 횡
하고, 刀刃이 雖快나 不斬無罪之人하고, 非災橫

화 　 불 입 신 가 지 문
禍는 不入愼家之門이니라.

[해설] 태공이 말하기를, 해와 달은 밝지마는 엎어놓은 소래(항아리) 밑은 비추지 못하고, 칼날이 잘 들기는 하지만 죄 없는 사람을 베지는 못하고, 불의(不意)의 재화(災禍)는 조심하는 집의 문에는 들지를 못하느니라고 하였다.

태 공 　 왈 　 양 전 만 경 　 불 여 박 예 수 신
太公이 曰, 良田萬頃이 不如薄藝隨身이니라.

[해설] 태공이 말하기를, 아주 넓고 좋은 밭이라도 하찮은 재주 한 가지를 몸에 지니는 것만 못하느니라고 하였다.

성리서 운 접물지요 기소불욕 물
性理書에 云하되, 接物之要는 己所不欲을 勿
시어인 행유부득 반구제기
施於人하고, 行有不得이어든 反求諸己니라.

[해설] 성리서에 이르기를, 사람을 접하는 데 중요한 일은 자기가 하고 싶지 않은 바를 다른 사람에게 베풀지 말고, 행하고서도 얻는 것이 없으면 돌이켜 자기에게서 그 원인을 찾아야 하느니라고 하였다.

주색재기사도장 다소현우재내상 약유
酒色財氣四堵墻에 多少賢愚在內廂이라. 若有
세인 도득출 편시신선불사방
世人이 跳得出이면 便是神仙不死方이니라.

[해설] 술과 여색(女色)과 재물과 기운의 네 가지 담장 안에는 많고 적은 잘나고 못난 사람들이 그 행랑에 들어 있느니라. 그 누가 이곳을 뛰쳐나오기만 한다면 그것이 바로 신선과 같이 죽지 않는 방법이니라.

12. 立教篇(입교편) — 생활 실천의 요점

●재치가 있는 사람은 배우는 것을 중요하게 생각하지 않으며, 또 단순한 사람은 배워 아는 것을 숭배한다. 그러나, 배운 것을 실제로 신용하는 사람이 가장 현명한 사람이다. 학문(學問)은 그 사용법까지를 가르쳐 주지는 않는다. 학문을 이용한다는 것은 학문을 떠나서의 한 걸음 높은 지혜이다. — F. 베이컨

자 왈 입신유의이효위본 상사유례이
子가 曰, 立身有義而孝爲本이요, 喪祀有禮而
애위본 전진유열이용위본 치정유리이
哀爲本이요, 戰陣有列而勇爲本이요, 治政有理而
농위본 거국유도이사위본 생재유시이
農爲本이요, 居國有道而嗣爲本이요, 生財有時而

력 위 본
力爲本이니라.

[해설] 공자가 말하기를, 입신(立身)함에는 의(義)가 있으니 효도가 그 근본이요, 상제(喪祭)에는 예(禮)가 있으니 슬퍼함이 그 근본이요, 싸움터에는 질서가 있으니 용기가 그 근본이요, 나라를 다스림에는 방도가 있으니 농사가 그 근본이요, 왕위(王位)에 있음에는 도(道)가 있으니 대(代)를 잇는 것이 그 근본이요, 재물을 생산함에는 때가 있으니 노력이 그 근본이니라고 하였다.

경 행 록 운 위 정 지 요 왈 공 여 청
景行錄에 云하되, 爲政之要는 曰 公與淸이요,
성 가 지 도 왈 검 여 근
成家之道는 曰 儉與勤이니라.

[해설] 나라를 다스리는 데에 있어서 요점이 되는 것은 말하자면 공정하고 청렴한 것이요, 집안을 이루는 데에 있어서의 도리는 말하자면 검소하고 근면한 것이니라고 하였다.

독 서 기 가 지 본 순 리 보 가 지 본 근
讀書는 起家之本이요, 循理는 保家之本이요, 勤
검 치 가 지 본 화 순 제 가 지 본
儉은 治家之本이요, 和順은 齊家之本이니라.

[해설] 글을 읽는 것은 집안을 일으키는 근본이요, 이치에 따름은 집을 보존하는 근본이요, 부지런하고 검소함은 집안을 다스리는 근본이요, 화목하고 순함은 집안을 한결같이 가지런하게 하는 근본이니라.

공 자 삼 계 도 운 일 생 지 계 재 어 유
孔子三計圖에 云하되, 一生之計는 在於幼하고,
일 년 지 계 재 어 춘 일 일 지 계 재 어 인
一年之計는 在於春하고, 一日之計는 在於寅이니,
유 이 불 학 노 무 소 지 춘 약 불 경 추 무
幼而不學이면 老無所知요, 春若不耕이면 秋無

소망 인약불기 일무소판
所望이요, 寅若不起면 日無所辦이니라.

[해설] 공자의 삼계도에 이르기를, 일생의 계획은 어릴 때에 있고, 1년의 계획은 봄〔春〕에 있고, 1일의 계획은 새벽에 있나니, 어렸을 때 배우지를 않으면 늙어서는 아는 바가 없고, 봄에 밭을 갈지 않으면 가을에는 바랄 바가 없고, 새벽에 일어나지를 않으면 그 날에는 할 일이 없느니라고 하였다.

참고 **삼계도**(三計圖) : 1년, 10년, 종신(終身)의 세 가지 계획을 일컫는다. 또, 일생, 1년, 1일의 계획을 뜻하기도 한다.

성리서 운 오교지목 부자유친 군신유의 부부유별 장유유서 붕우유신
性理書에 云하되, 五教之目은 父子有親하며, 君臣有義하며, 夫婦有別하며, 長幼有序하며, 朋友有信이니라.

[해설] 성리서에 이르기를, 다섯 조목의 가르침은, 아버지와 자식 사이에는 친애가 있어야 하며, 임금과 신하 사이에는 의리가 있어야 하며, 남편과 아내 사이에는 분별이 있어야 하며, 나이 많은 사람과 나이 적은 사람 사이에는 차례가 있어야 하며, 친구와 친구 사이에는 믿음이 있어야 하느니라고 하였다.

삼강 군위신강 부위자강 부위부강
三綱은, 君爲臣綱이요, 父爲子綱이요, 夫爲婦綱이니라.

[해설] 삼강이라 함은, 임금은 신하의 본보기가 되는 것이요, 아버지는 자식의 본보기가 되는 것이요, 남편은 아내의 본보기가 되는 것이니라.

왕촉 왈 충신 불사이군 열녀 불경이부
王蠋이 曰, 忠臣은 不事二君이요, 烈女는 不更二夫니라.

[해설] 왕촉이 말하기를, 충신은 두 임금을 섬기지 않고, 절개 곧은 여자는 두 남편을 받들지 않느니라고 하였다.

참고 **왕촉**(王蠋) : 중국 전국(戰國) 시대 제(齊)나라의 사람인데, 제나라가 연(燕)나라에 패했으나 그는 항복하지 않고 자살하였다고 한다.

충자　　왈　치관　　막약평　　　임재　　막약
忠子가 曰, 治官에 莫若平이요, 臨財에 莫若

렴
廉이니라.

[해설] 충자가 말하기를, 관직을 다스리는 데에 있어서는 공평한 것보다 더 나은 것이 없고, 재물을 임하는 데에 있어서는 청렴한 것보다 더 나은 것이 없느니라고 하였다.

장사숙좌우명　　왈　범어　　필충신　　범행
張思叔座右銘에 曰, 凡語를 必忠信하며, 凡行

　필독경　　음식　　필신절　　자획　　필
을 必篤敬하며, 飮食을 必愼節하며, 字畫을 必

해정　　용모　　필단장　　의관　　필정숙
楷正하며, 容貌를 必端莊하며, 衣冠을 必整肅하며,

보리　　필안상　　거처　　필정정　　작사
步履를 必安詳하며, 居處를 必正靜하며, 作事를

필모시　　출언　　필고행　　상덕　　필고지
必謀始하며, 出言을 必顧行하며, 常德을 必固持

　연락　　필중응　　견선여기출　　견악
하며, 然諾을 必重應하고, 見善如己出하며, 見惡

여기병　　범차십사자　　개아미심성　　서
如己病하라. 凡此十四者는 皆我未深省이라. 書

차당좌우　　조석시위경
此當座右하여 朝夕視爲警하노라.

[해설] 장 사숙의 좌우명에 이르기를, 무릇 말은 정성스럽고 참되게 하며, 무릇 행실은 돈독하고도 공경하게 하며, 음식은 절제 있게 먹으며, 글씨는 똑똑하고도 바르게 쓰며, 용모는 단정하고도 경건하게 지니며, 의관은 바르고도 엄숙하게 갖추며, 걸음걸이는 조용하고도 예모 있게 하며, 거처는 가지런하고도 고요하게 하며, 일을 함에는 계획을 세워서 시작하며, 말을 할 때는 그 실행 여부를 살피며, 평상시의 덕(德)을 굳게 가지며, 승낙할 때에는 신중하게 하고, 선(善)을 보거든 내가 행한 것과도 같이 여기며, 악(惡)을 보거든 내 병(病)인 것과도 같이 여겨라. 무릇 이 열 네 가지는 모두 내가 아직 깊이 깨닫지 못하는 것이니라. 이것을 써서 자기 오른쪽에 갖

추어 두고 아침 저녁으로 보면서 경계하노라고 하였다.

참고 장 사숙(張思叔) : 중국 북송(北宋) 때 학자로, 성리학자(性理學者)인 정 이천(程伊川)의 제자다.

범익겸좌우명 왈 일불언조정이해변보차
范益謙座右銘에 曰, 一不言朝廷利害邊報差

제 이불언주현관원장단득실 삼불언중
除하고, 二不言州縣官員長短得失하고, 三不言衆

인소작과악지사 사불언사진관직추시부
人所作過惡之事하고, 四不言仕進官職趨時附

세 오불언재리다소염빈구부 육불언음
勢하고, 五不言財利多少厭貧求富하고, 六不言淫

설희만평론여색 칠불언구멱인물간색주
媟戲慢評論女色하고, 七不言求覓人物干索酒

식 우인부서신 불가개탁침체 여인병
食하고, 又人付書信을 不可開坼沈滯요, 與人幷

좌 불가규인사서 범입인가 불가간인
坐에 不可窺人私書요, 凡入人家에 不可看人

문자 범차인물 불가손괴불환 범끽음
文字요, 凡借人物에 不可損壞不還이요, 凡喫飮

식 불가간택거취 여인동처 불가자택
食에 不可揀擇去取요, 與人同處에 不可自擇

편리 범인부귀 불가탄선저훼 범차수
便利요, 凡人富貴를 不可歎羨詆毁니라. 凡此數

사 유범지자 족이견용심지부정 어정심
事에 有犯之者면 足以見用心之不正 於正心

수신 대유소해 인서이자경
修身에 大有所害라, 因書以自警하노라.

[해설] 범익겸의 좌우명에 이르기를,

첫째, 조정에서의 이해와 변방 관직의 임명에 관하여 말하지 않고,

둘째, 주현 관헌의 장단점과 득실(得失)에 관하여 말하지 않고,

세째, 여러 사람이 저지른 나쁜 일에 관하여 말하지 않고,

네째, 관직에 나가고 기회를 노려 세도를 부리는 일에 관하여 말하지 않고,

다섯째, 재물의 이득이 많고 적음이나, 가난을 싫어하고 부자가 되기를 바라는 것에 관하여 말하지 않고,

여섯째, 음란하고 더러운 농담이나, 여색(女色)에 관한 비평을 말하지 않고,

일곱째, 다른 사람의 물건을 탐내거나, 술과 음식을 뒤져서 찾는 일을 위하여 말하지 않는다.

그리고, 다른 사람이 전해 달라는 편지를 뜯어보거나 묵혀 두지 말 일이요, 다른 사람과 한 자리에 어울려 앉았을 때에 다른 사람의 사신(私信)을 엿보지 말 일이요, 다른 사람의 집에 갔을 때에 다른 사람이 지어 둔 글을 보지 말 일이요, 다른 사람에게서 물건을 빌어다가 그것을 파손하거나 되돌려 주지 않는 일을 하지 말 일이요, 음식을 먹을 때에 가리지 말 일이요, 다른 사람과 함께 있을 때에 자기 자신만의 편리를 취하지 말 일이요, 무릇 다른 사람의 부귀를 부러워하거나, 그것을 헐뜯지 말아야 하느니라.

이 몇 가지 일에 범하는 사람이 있다면 그 마음씀이 현명치 못함을 알게 될 것이니, 마음을 바르게 하고 수양함에 있어서 크게 해가 되는 바가 있는지라, 이에 이것을 써 두고 스스로 경계하는 것이니라고 하였다.

무왕 문 태공왈 인거세상 하득귀천빈
武王이 問 太公曰, 人居世上에 何得貴賤貧

부부등 원문설지 욕지시의 태공
富不等고. 願聞說之하여 欲知是矣로라. 太公이

왈 부귀 여성인지덕 개유천명
曰, 富貴는 如聖人之德하여 皆由天命이거니와

부자 용지유절 불부자 가유십도
富者는 用之有節하고, 不富者는 家有十盜니다.

[해설] 무왕이 태공에게 묻기를, 사람이 세상을 살아감에 있어서 왜 귀천 빈부가 같지 않은지요. 원컨대 설명을 들어서 이것을 알고자 하오라고 했다.

태공이 말하기를, 부귀는 성인(聖人)의 덕과도 같은 것이어서 그 모두가 다 천명(天命)에 말미암은 것이거니와, 부(富)한 사람은 씀씀이에 절제가 있고, 부하지 못한 사람은 집에 열 가지 도둑이 있기 때문입니다라고 했다.

참고 **무왕(武王)**: 중국 주(周)나라의 제1대 임금으로, 문왕(文王)의 아들인데, 이름은 발(發)이다. 무왕은 부왕(父王)이 닦아 놓은 국력을 바탕으로 하여 폭군(暴君)인 은(殷)나라의 주왕(紂王)을 쳐서 천하를 통일하고 호경(鎬京)에 도읍했으며, 동생인 단(旦)과 협력하고, 태공망(太公望)을 스승으로 삼아서 선정(善政)을 베풀었다.

무 왕　왈　하 위 십 도　태 공　왈　시 숙 불
武王이 曰, 何謂十盜오. 太公이 曰, 時熟不

수　위 일 도　수 적 불 료　위 이 도　무 사 연
收가 爲一盜요, 收積不了가 爲二盜요, 無事燃

등 침 수　위 삼 도　용 나 불 경　위 사 도　불
燈寢睡이 爲三盜요, 慵懶不耕이 爲四盜요, 不

시 공 력　위 오 도　전 행 교 해　위 육 도　양
施功力이 爲五盜요, 專行巧害가 爲六盜요, 養

녀 태 다　위 칠 도　주 면 나 기　위 팔 도　탐
女太多가 爲七盜요, 晝眠懶起가 爲八盜요, 貪

주 기 욕　위 구 도　강 행 질 투　위 십 도
酒嗜慾이 爲九盜요, 強行嫉妬가 爲十盜니다.

[해설] 무왕이 말하기를, 무엇을 가리켜 열 가지 도둑이라 하오라고 하였다.

태공이 말하기를, 제철이 되었는데도 익은 것을 거둬 들이지 않는 것이 첫째 도둑이요, 거둬 들이고서도 잘 쌓아 두지 않는 것이 둘째 도둑이요, 일도 없는데 등불을 켜 두고 잠자는 것이 세째 도둑이요, 게을러서 밭을 갈지 않는 것이 네째 도둑이요, 공들이지 않는 것이 다섯째 도둑이요, 매우 해로운 일만 오로지 행하는 것이 여섯째 도둑이요, 딸을 너무 많이 기르는 것이 일곱째 도둑이요, 낮잠을 자면서 일어나기를 게을리하는 것이 여덟째 도둑이요, 술과 환락을 탐내는 것이 아홉째 도둑이요, 다른 사람을 매우 시기하는 것이 열째 도둑입니다라고 하였다.

무 왕　왈　가 무 십 도 이 불 부 자　하 여　태
武王이 曰, 家無十盜而不富者는 何如닛고. 太

공　왈　인 가　필 유 삼 모　무 왕　왈
公이 曰, 人家에 必有三耗니다. 武王이 曰,

하 명 삼 모　태 공　왈　창 고 누 람 불 개　서
何名三耗오. 太公이 曰, 倉庫漏濫不蓋하여 鼠

작 난 식　위 일 모　수 종 실 시　위 이 모　포 살
雀亂食이 爲一耗요, 收種失時 爲二耗요, 拋撒

미 곡 예 천　위 삼 모
米穀穢賤이 爲三耗니다.

[해설] 무왕이 말하기를, 집에 열 가지 도둑이 없는 데에도 부자가 되지 못하는 것은 무엇 때문이오라고 하였다.

태공이 말하기를, 그런 사람의 집에는 반드시 세 가지 소모됨이 있을 것입니다라고 하였다. 무왕이 말하기를, 무엇을 가리켜 세 가지의 소모라고 하오라고 하였다.

태공이 말하기를, 창고가 뚫려 있는 데에도 막지를 않아서 쥐와 새들이 마구 먹어대는 것이 첫째 소모요, 거두고 씨를 뿌림에 때를 놓치는 것이 둘째 소모요, 곡식을 흩뜨려서 더럽고 천하게 다루는 것이 세째 소모입니다라고 하였다.

무왕 왈 가무삼모이불부자 하여 태
武王이 曰, 家無三耗而不富者는 何如닛고. 太

공 왈 인가 필유일착이오삼치사실오
公이 曰, 人家에 必有一錯二誤三痴四失五

역 육 불 상 칠 노 팔 천 구 우 십 강 자 초 기 화
逆六不祥七奴八賤九愚十強하여 自招其禍요,

비 천 강 앙
非天降殃이니다.

무 왕 왈 원실문지 태 공 왈 양 남
武王이 曰, 願悉聞之하노이다. 太公이 曰, 養男

불 교 훈 위 일 착 영 해 불 훈 위 이 오
不教訓이 爲一錯이요, 嬰孩不訓이 爲二誤요,

초 영 신 부 불 행 엄 훈 위 삼 치 미 어 선 소
初迎新婦不行嚴訓이 爲三痴요, 未語先笑가

위 사 실 불 양 부 모 위 오 역 야 기 적 신
爲四失이요, 不養父母가 爲五逆이요, 夜起赤身이

위 육 불 상 호 만 타 궁 위 칠 노 애 기 타
爲六不祥이요, 好挽他弓이 爲七奴요, 愛騎他

마 위 팔 천 끽 타 주 권 타 인 위 구 우
馬가 爲八賤이요, 喫他酒勸他人이 爲九愚요,

끽 타 반 명 붕 우 위 십 강 무 왕 왈 심
喫他飯命朋友가 爲十強이니다. 武王이 曰, 甚

미 성 재 시 언 야
美誠哉라, 是言也여.

[해설] 무왕이 말하기를, 집에 세 가지 소모됨이 없는 데에도 부자가 되지 못하는 것은 무엇 때문이오라고 하였다.

태공이 말하기를, 그런 사람의 집에는 반드시 첫째 착(錯; 그릇됨), 둘째 오(誤; 잘못됨), 세째 치(痴; 어리석음), 네째 실(失; 실수), 다섯째 역(逆; 거역함), 여섯째 불상(不祥; 상서롭지 못함), 일곱째 노(奴; 종노릇), 여덟째 천(賤; 천함), 아홉째 우(愚; 어리석음), 열째 강(強; 강함)이 있어서 화(禍)를 스스로 불러들이는 것이요, 하늘이 재앙을 내리는 것은 아닙니다라고 하였다.

무왕이 말하기를, 원컨대 그것이 무엇인지를 다 듣고 싶소라고 하였다.

태공이 말하기를, 아들을 기르면서 가르치지 않는 것이 첫째 그릇됨이요, 어린아이를 타이르지 않는 것이 둘째 잘못됨이요, 처음 신부를 맞아들일 때 엄하게 교훈하지 않는 것이 세째 어리석음이요, 말하기 전에 먼저 웃기부터 하는 것이 네째 실수요, 부모를 봉양하지 않는 것이 다섯째 거역함이요, 밤중에 맨몸으로 일어나는 것이 여섯째 상서롭지 못함이요, 다른 사람의 활로써 쏘기를 좋아하는 것이 일곱째 종노릇이요, 다른 사람의 말 타기를 좋아하는 것이 여덟째 천함이요, 다른 사람의 술을 마시면서 남에게 권하는 것이 아홉째 어리석음이요, 다른 사람의 밥을 먹으면서 친구에게도 먹기를 억지 쓰는 것이 열째 강함(뻔뻔스러움)입니다라고 하였다.

무왕이 말하기를, 참으로 훌륭하고도 참되도다, 이 말이여！라고 하였다.

13. 治政篇(치정편) — 나라를 다스리는 길

● 정치란, 그것이 형태는 어떠하든 어떤 종류의 사람들이 협동하고, 또 다른 사람들에게는 반대하고 추진하는 행동이다. 이해의 합치(合致) 또는 불합치(不合致)에서 기초되어 있는 연대 관계(連帶関係)는 투쟁이나 적대 행위의 관계와 동일하게 인간의 인간에 대한 전체적인 태도를 규정하는 것이다. —— J. P. 사르트르

명도선생 왈, 일명지사 구유존심어애
明道先生이 曰, 一命之士도 苟有存心於愛

물 어인 필유소제
物이면 於人에 必有所濟니라.

[해설] 명도 선생이 말하기를, 처음으로 벼슬을 한 사람도 진실로 사물을 사랑하는 마음이 있다면 반드시 사람을 구제하는 바가 있느니라고 하였다.

참고 **명도 선생**(明道先生; 1032~1085) : 중국 북송(北宋)의 유학자(儒學者)로, 성은 정(程), 이름은 호(顥), 자는 백순(伯淳)이며, 명도(明道)는 호이다. 주 돈이(周敦頤)에게서 배운 그는 우주의 본체를 건원(乾元)의 기(氣)라 하고, 이(理)를 기초로 하는 도덕설(道德說)을 주장하여, 우주의 본성(本性)과 인성(人性)은 본래 동일한 것이라고 하였다. 대표 저서에는 〈정성서(定性書)〉가 있다. 정 이(程頤)의 형이다.

당태종어제 왈 상유휘지 중유승지
唐太宗御製에 曰, 上有麾之하고, 中有乘之하고,
하유부지 폐백의지 창름식지 이봉
下有附之하니 幣帛衣之요, 倉廩食之하니 爾俸
이록 민고민지 하민 이학 상창
爾祿이 民膏民脂니라. 下民은 易虐이어니와 上蒼
난기
은 難欺니라.

[해설] 당 태종의 어제에 이르기를, 위에는 지시하는 사람이 있고, 중간에는 이에 의해서 다스리는 관리가 있고, 그 아래에는 이에 따르는 백성이 있나니, 백성이 바친 베로써 옷을 만들어 입고, 곳간에 거두어 들인 곡식으로써 밥을 지어 먹으니, 너희의 봉록은 바로 백성들의 기름이니라. 아래에 있는 백성은 학대하기가 쉽지만, 위에 있는 저 하늘은 속이기가 어렵느니라고 하였다.

참고 **당 태종**(唐太宗; 598~649) : 당나라의 제 2 대 황제로, 이름은 이 세민(李世民)이다. 그는 수(隋)나라 말기의 동란 때 아버지인 고조〔高祖; 이 연(李淵)〕에게 군사를 일으킬 것을 종용하여 천하를 통일하는 데에 큰 공을 세웠으며, 즉위 후에는 관제를 정비하고, 균전제(均田制)를 실시하는 한편, 노예제를 이용하는 등 교묘한 분할 정치를 하였다. 그리고, 많은 선정(善政)을 펴서 이른바 '정관(貞觀)의 치(治)'라고 일컬어지는 왕성한 시기를 이루었다.

동몽훈 왈 당관지법 유유삼사 왈청
童蒙訓에 曰, 當官之法이 唯有三事하니, 曰清
왈신 왈근 지차삼자 지소이지신의
曰愼 曰勤이라. 知此三者면 知所以持身矣니라.

[해설] 동몽훈에 이르기를, 벼슬에 임하는 법도에는 오로지 세 가지가 있나니, 이른바 청렴함과 신중함과 근면이 그것이다. 이 세 가지를 알면 몸가짐을 알게 되느니라고 하였다.

참고 **동몽훈**(童蒙訓) : 중국 송(宋) 나라 때의 학자이며 시인(詩人)인 여본중(呂本中)이 아동들을 가르치기 위하여 지은 책이다.

당관자 필이폭노위계 사유불가 당
當官者는 必以暴怒爲戒하여, 事有不可어든 當
상처지 필무불중 약선폭노 지능자
詳處之면 必無不中이어니와, 若先暴怒면 只能自

해 기능해인
害라 豈能害人이리요.

[해설] 벼슬자리에 있는 사람은 반드시 화냄을 경계하여, 일에 옳지 못한 점이 있더라도 마땅히 상세하게 처리하노라면 반드시 맞아떨어질 것이지만, 만일 화부터 먼저 낸다면 다른 사람 아닌 바로 자기 자신에게만 해로울 뿐이니라.

사군 여사친 사장관 여사형 여동
事君을 如事親하며, 事長官을 如事兄하며, 與同
료 여가인 대군리 여노복 애백
僚를 如家人하며, 待羣吏를 如奴僕하며, 愛百
성 여처자 처관사 여가사연후 능
姓을 如妻子하며, 處官事를 如家事然後에야 能
진오지심 여유호말부지 개오심 유소
盡吾之心이니, 如有毫末不至면 皆吾心에 有所
미진야
未盡也니라.

[해설] 임금 섬기기를 어버이 섬기듯이 하며, 웃사람 섬기기를 형님 섬기듯이 하며, 친구 사귀기를 가족처럼 하며, 아전 대우하기를 집안 노복이듯이 하며, 백성 사랑하기를 처자식과 같이 하며, 관청의 일 처리하기를 집안일처럼 하고 난 후에야 능히 내 마음을 다했다고 할 것이니, 만일 털끝만큼이라도 미흡한 점이 있다면 그것은 모두가 내 마음에 아직도 다하지 못한 바가 있기 때문이니라.

혹 문 부 좌령자야 부소욕위 영혹
或이 問, 簿는 佐令者也라 簿所欲爲를 令或
부종 내하 이천선생 왈 당이성의
不從이면 奈何닛고. 伊川先生이 曰, 當以誠意로
동지 금령여부불화 편시쟁사의 영
動之니라. 今令與簿不和는 便是爭私意요, 令은
시읍지장 약능이사부형지도 사지
是邑之長이니 若能以事父兄之道로 事之하여

과즉귀기 선즉유공불귀어령 적차성
過則歸己하고, 善則唯恐不歸於令하여 積此誠

의 기유부동득인
意면 豈有不動得人이리요.

[해설] 어떤 사람이 묻기를, 부(簿)는 영(令)을 보좌하는 사람인데, 부가 하고자 하는 바를 영이 혹시 따르지를 않으면 어떻게 합니까라고 하였다.

이천 선생이 말하기를, 마땅히 성의로써 움직일 일이니라. 지금 영과 부가 서로 불화함은 이것이 곧 사사로운 생각으로 다투는 것이요, 영은 고을의 우두머리이니 제 부형 섬기는 도리로 섬겨서, 잘못이 있으면 자기에게로 돌리고, 잘한 일이 있으면 그것이 영에게로 돌아가지 않을 것을 염려하여, 이 같은 성의를 쌓는다면 어찌 움직이지 않을 사람이 있으리요라고 하였다.

참고 **이천 선생**(伊川先生; 1033~1107) : 중국 북송(北宋) 때의 대유학자(大儒學者)로, 성은 정(程), 이름은 이(頤), 자는 정숙(正淑)이며, 이천(伊川)은 호이다. 그는 이천백(伊川伯)에 봉해졌기 때문에 '이천 선생'이라 불리는데, 처음으로 이기(理氣)의 철학을 내세웠고, 유교 도덕에다 철학적인 기초를 부여했다. 대표 저서에는 〈역전(易傳)〉·〈어록(語錄)〉이 있다. 정호(程顥)의 아우이다.

부(簿) : 관청의 장(長; 우두머리)을 보좌하는 지위이다.

영(令) : 현읍(縣邑)의 우두머리이다.

유안례 문임민 명도선생 왈 사민
劉安禮가 問臨民한대 明道先生이 曰, 使民으로

각득수기정 문어리 왈 정기이격물
各得輸其情이니라. 問御吏한대 曰, 正己以格物이니라.

[해설] 유안례가 백성에 임하는 도리를 묻자 명도 선생이 말하기를, 백성으로 하여금 그들의 진정을 각각 말할 수 있게 해야 하느니라고 하였다.

부하를 통솔하는 도리를 묻자, 자기 자신을 바르게 함으로써 자기 이외의 것을 바르게 해야 하느니라고 하였다.

참고 **유 안례**(劉安禮) : 중국 북송(北宋) 때 사람으로, 자는 원소(元素)이며, 한고제(漢高帝)의 손자이다. 그는 독서와 음악을 즐겼는데, 저서에는 〈병풍부(屛風賦)〉가 있다.

포박자 왈 영부월이정간 거정확이진
抱朴子가 曰, 迎斧鉞而正諫하며, 據鼎鑊而盡

언 차위충신야
言이면 此謂忠臣也니라.

[해설] 포박자가 말하기를, 도끼를 맞고서도 바르게 아뢰며, 가마에 삶아져 미쳐서도

할 말을 다 한다면 이가 바로 충신이니라고 하였다.

참고 **포박자**(抱朴子; 283~343?) : 중국 동진(東晋)의 도가(道家)로, 본명은 갈홍(葛洪)이며, 포박자(抱朴子)는 호이다. 유가(儒家)로서도 유명한 그는 처음에는 유학(儒學)에 정진하였으나, 후에 신선(神仙)의 도(道)를 익혔다.

대표 저서에는 〈포박자〉가 있는데, 이 책은 신선의 법을 설명하고, 도덕과 정치를 논한 것으로서, 내외편(內外篇) 8권 72편이며, 317년에 완성된 것이다.

14. 治家篇(치가편) — 집안을 다스리는 길

●집안 사람에게 허물이 있다 하여 몹시 화내지 말 것이며, 가볍게 버리지 말 것이니, 그 일을 말하기 어렵거든 다른 일을 빌어서 은근히 타일러 뉘우치게 하라. 오늘 깨닫지 못하거든 내일을 기다려 두 번 경계하라. 봄바람이 언 것을 풀 듯이, 화기가 얼음을 녹이듯이 하라. 이것이 바로 가정의 규범이니라. ——〈채근담(菜根譚)〉

사마온공 왈 범제비유 사무대소 무
司馬温公이 曰, 凡諸卑幼는 事無大小히 毋

득전행 필자품어가장
得專行하고, 必咨稟於家長이니라.

[해설] 사마 온공이 말하기를, 무릇 손아랫사람들은 일의 크고 작음을 가릴 것 없이 독단으로 행하지 말고, 반드시 어른께 여쭈어 보고서 해야 하느니라고 하였다.

대객 부득불풍 치가 부득불검
待客에 不得不豊이요, 治家에 不得不儉이니라.

[해설] 손님을 접대함에 있어서는 풍요롭게 하되, 살림살이는 검소하게 해야 하느니라.

태공 왈 치인 외부 현녀 경부
太公이 曰, 痴人은 畏婦하고, 賢女는 敬夫니라.

[해설] 태공이 말하기를, 어리석고 못난 사람은 그 아내를 두려워하고, 현숙한 여인은 그 남편을 공경하느니라.

범사노복 선념기한
凡使奴僕에 先念飢寒이니라.

[해설] 사내종을 부림에 있어서는 먼저 그들의 배고픔과 추움을 생각해야 하느니라.

자효쌍친락 가화만사성
子孝雙親樂이요, 家和萬事成이니라.

[해설] 자식이 효도하면 어버이는 즐거워하고, 집안이 화목하면 모든 일이 다 이루어지느니라.

시시방화발 야야비적래
時時防火發하고, 夜夜備賊來니라.

[해설] 때마다 불이 나지 않을까를 예방하고, 밤마다 도둑이 올까를 방비해야 하느니라.

경행록 운 관조석지조안 가이복인 가지흥체
景行錄에 云하되, 觀朝夕之早晏하여 可以卜人家之興替니라.

[해설] 경행록에 이르기를, 아침 저녁의 밥이 이르고 늦음을 보아서 그 집의 흥하고 쇠함을 점칠 수 있느니라고 하였다.

문중자 왈 혼취이론재 이로지도야
文仲子가 曰, 婚娶而論財는 夷虜之道也니라.

[해설] 문중자가 말하기를, 혼인하는 데에 재물을 논하는 것은 오랑캐들이나 하는 길(일)이니라고 하였다.

참고 문중자(文仲子; 584~617) : 중국 수(隋)나라 때의 유학자(儒學者)인 왕통(王通)을 가리키는데, 자는 충엄(沖淹)이며, 문중자(文仲子)란 그가 죽은 후에 그의 문인(門人)들이 부른 호이다. 당(唐)나라 왕발(王勃)의 할아버지인 그는 조정에 올린 자기의 건의가 받아들여지지 않자 물러나 제자들을 양성했다. 저서로서 오늘날까지 전하는 것은 〈중설(中說)〉뿐이다.

15. 安義篇(안의편) — 인륜(人倫)의 기본

● 생명에의 경건한 절대적 윤리(倫理)는 인간 속에서 현실과 대결한다. 이 윤리는 인간을 위하여 갈등을 정돈해 주지 않는 인간을 강제로 어느 정도까지, 즉 그가 생명의 파괴와 손상의 필연성에 굴복하여 죄를 몸에 받아들이지 않을 때까지 모든 경우에 스스로가 결단을 내리도록 한다.
— A. 시바이쩌

안씨가훈 왈 부유인민이후 유부부
顔氏家訓에 曰, 夫有人民而後에 有夫婦하고,
유부부이후 유부자 유부자이후 유형
有夫婦而後에 有父子하고, 有父子而後에 有兄
제 일가지친 차삼자이이의 자자이
弟하니, 一家之親은 此三者而已矣라. 自玆以
왕 지우구족 개본어삼친언고 어인
往으로 至于九族이 皆本於三親焉故로 於人
륜 위중야 불가부독
倫에 爲重也이니 不可不篤이니라.

[해설] 안씨 가훈에 이르기를, 사람이 있은 후에 부부가 있고, 부부가 있은 후에 부자(父子)가 있고, 부자가 있은 후에 형제가 있나니, 한 집안이 되는 친족은 이 세 가지뿐이다. 이에서 더 나아가 구족(九族)에 이르기까지는 모두가 이 세 가지 친족에 근본하는 고로 인륜(人倫)에 있어서 가장 중요한 것이니 돈독하게 아니하지 못하느니라고 하였다.

참고 안씨(顔氏; 531?~602?) : 중국 육조(六朝) 말엽의 문인(文人)인 안지추(顔之推)를 가리킨다. 그는 착실한 학풍(學風)의 문헌학자(文獻學者)였는데, 저서에는 〈안씨 가훈〉이 있다.

구족(九族) : 고조(高祖)로부터 증조·조부·부친·자기·아들·손자·증손·현손(玄孫)까지의 직계친(直系親)을 중심으로 하여, 방계친(傍系親)으로 고조의 4대손 되는 형제·종형제·재종 형제·3종 형제를 포함하는 동종(同宗) 친족을 일컫는다.

장자 왈 형제 위수족 부부 위의
莊子가 曰, 兄弟는 爲手足하고, 夫婦는 爲衣
복 의복파시 갱득신 수족단처
服이니, 衣服破時에는 更得新이어니와 手足斷處에는
난가속
難可續이니라.

[해설] 장자가 말하기를, 형제는 손발과도 같고, 부부는 옷과도 같으니, 옷이 찢어졌을 때에는 다시 새것을 얻을 수 있거니와 손발이 끊어진 곳은 잇기가 어렵느니라고 하였다.

소동파 운 부불친혜빈불소 차시인간
蘇東坡가 云하되, 富不親兮貧不疎는 此是人間

대장부　　부즉진혜빈즉퇴　　차시인간진소
大丈夫요, 富則進兮貧則退는 此是人間眞小

배
輩니라.

[해설] 소동파가 이르기를, 부유하다고 하여 친하지 않으며 가난하다고 하여 멀리 하지 않음은 이것이 바로 사람 중에서 대장부다운 일이요, 부유하면 나아가고 가난하면 물러남은 이것이 바로 사람 중에서 간사하고 도량이 좁은 사람이니라고 하였다.

16. 遵禮篇(준례편) — 인간 관계에서의 예절

● 예절이란, 도덕적(道德的)으로 또 지적(知的)으로 빈약한 서로의 성질을 서로 무시하면서 비난하지 말자고 하는 암묵(暗默) 속의 협정(協定)이다. —— A. 쇼펜하우어

자　왈　거가유례고　장유변　규문유례
子가 曰, 居家有禮故로 長幼辨하고, 閨門有禮

고　삼족화　조정유례고　관작서　전
故로 三族和하고, 朝廷有禮故로 官爵序하고, 田

렵유례고　융사한　군려유례고　무공
獵有禮故로 戎事閑하고, 軍旅有禮故로 武功

성
成이니라.

[해설] 공자가 말하기를, 집안에는 예절이 있으므로 어른과 아이의 구별이 있고, 집안간에는 예절이 있으므로 삼족(三族)이 화목하게 되고, 조정에는 예절이 있으므로 벼슬에 순서가 있고, 사양하는 데에는 예절이 있으므로 군사(軍事)가 숙달되고, 군대에도 예절이 있으므로 무공(武功)이 이루어지느니라고 하였다.

참고 삼족(三族) : 자기의 부모와 형제와 처자(妻子)를 일컫는다. 또는 자기 집안, 외가(外家), 처가(妻家)를 일컫기도 한다.

자　왈　군자　유용이무례　위란　소
子가 曰, 君子가 有勇而無禮면 爲亂하고, 小

인　유용이무례　위도
人이 有勇而無禮면 爲盜니라.

[해설] 공자가 말하기를, 군자에게 용기만 있고 예의가 없으면 난동을 부리게 되고, 소인에게 용기만 있고 예의가 없으면 도둑질을 하게 되느니라고 하였다.

증자 왈 조정 막여작 향당 막
曾子가 曰, 朝廷에는 莫如爵이요, 鄕黨에는 莫
여치 보세장민 막여덕
如齒요, 輔世長民에는 莫如德이니라.

[해설] 증자가 말하기를, 조정에는 벼슬보다 더한 것이 없고, 마을에는 나이보다 더한 것이 없고, 세상을 돕고 백성을 기름에는 덕(德)보다 더한 것이 없느니라고 하였다.

참고 증자(曾子; B.C. 505~436) : 중국 춘추(春秋) 시대 노(魯)나라의 유학자(儒學者)로, 자는 자여(子輿)이며, 본명은 증삼(曾參)인데, '증자'는 높이어 부르는 이름이다. 공자(孔子)의 제자인 그는 특히 효도(孝道)를 강조하였으며, 공자의 덕행과 학설을 정통(正統)으로 조술(祖述)하여 이것을 공자의 손자인 자사(子思)에게 전하였다. 〈효경(孝經)〉을 저작했다고 한다.

노소장유 천분질서 불가패리이상도야
老少長幼는 天分秩序니, 不可悖理而傷道也니라.

[해설] 늙은이와 젊은이, 그리고 어른과 아이는 하늘이 부여한 질서이니, 이 이치를 어기어 도(道)를 상하게 하지 못할 것이니라.

출문 여견대빈 입실 여유인
出門에 如見大賓하고, 入室에 如有人이니라.

[해설] 문 밖을 나설 때에는 마치 대단한 손님이라도 뵈올 듯이 하고, 방으로 들 때에는 마치 항상 사람이 있는 듯이 해야 하느니라.

약요인중아 무과아중인
若要人重我인댄 無過我重人이니라.

[해설] 다른 사람이 나에게 정중히 대해 줄 것을 원하거든 무엇보다도 내가 먼저 다른 사람을 정중하게 대해 주어야 하느니라.

부불언자지덕 자불담부지과
父不言子之德하고, 子不談父之過니라.

[해설] 아버지는 아들의 덕(德)을 말하지 말고, 아들은 아버지의 허물을 말하지 말아야 하느니라.

17. 言語篇(언어편) — 진정한 언어 생활

● 우리들의 언어란 그 얼마나 말이 안 될 만큼 조잡한 것인가! 만일, 우리가 심리적(心理的)인 연관을 덮어 두고 말하지 않는다면 우리는 주어진 사실에 대해서 허위인 것이고, 그 말을 하기로 말하면 마치 우리가 조잡하고 아유적인 것처럼 들린다.

— A. 헉슬리

유회 왈 언불중리 불여불언
劉會가 曰, 言不中理면 不如不言이니라.

[해설] 유회가 말하기를, 말이 이치에 맞지 않으면 말하지 않음만 못하느니라고 했다.

일언부중 천어무용
一言不中이면 千語無用이니라.

[해설] 한 마디의 말이 맞지 않으면 천 마디의 말이 쓸데가 없느니라.

군평 왈 구설자 화환지문 멸신지부야
君平이 曰, 口舌者는 禍患之門이요, 滅身之斧也니라.

[해설] 군평이 말하기를, 입과 혀는 화(禍)와 근심의 근본이요, 몸을 망치는 도끼와도 같으니 말을 삼가야 하느니라고 하였다.

참고 **군평**(君平): 중국 전한(前漢) 시대 무제(武帝) 때의 사람으로, 점을 잘 쳤다고 한다.

이인지언 난여면서 상인지어 이여형극 일언반구중치천금 일어상인 통
利人之言은 煖如綿絮하고, 傷人之語는 利如荊棘하여, 一言半句重値千金이요, 一語傷人에 痛

여도할
如刀割이니라.

[해설] 사람을 이롭게 하는 말은 솜과도 같이 따뜻하고, 사람을 상하게 하는 말은 가시와도 같아서, 한 마디의 말이 무겁기가 천금과도 같고, 한 마디 말이 사람을 상하게 함은 그 아프기가 칼로써 베는 것과 같으니라.

구시상인부 언시할설도 폐구심장설
口是傷人斧요, 言是割舌刀니, 閉口深藏舌이면
안신처처뢰
安身處處牢니라.

[해설] 입은 사람을 상하게 하는 도끼요, 말은 혀를 베는 칼이니, 입을 막고 혀를 깊이 감추면 몸은 어느 곳에 있더라도 편안할 것이니라.

봉인차설삼분화 미가전포일편심 불파
逢人且說三分話하되 未可全抛一片心이니, 不怕
호생삼개구 지공인정양양심
虎生三個口요, 只恐人情兩樣心이니라.

[해설] 사람을 만나면 또한 가끔 말을 하되, 가히 온전히 자기가 가지고 있는 마음 하나라도 버리지 말지니, 호랑이의 무서운 입을 두려워하지 말고, 오로지 인정의 두 가지 마음을 두려워해야 하느니라.

주봉지기천종소 화불투기일구다
酒逢知己千鍾少요, 話不投機一句多니라.

[해설] 술은 나를 아는 친구를 만나면 천 잔의 술도 적게 되고, 말은 기회를 맞추지 못하면 한 마디 말도 많으니라.

18. 交友篇(교우편) — 참된 우정(友情)

● 우정에 대해서는 다른 사물에 있어서와 같이 싫증이 나는 일이 있어서는 안 된다. 그리고, 오래 계속될수록 좋은 법이다. 마치 오랜 햇수를 겪은 포도주처럼 달콤해지는 것이 당연한 이치이며, 세상에서 말하는 바와 같이 우정을 다하기 위해서는 여러 말(斗)의 소금을 먹어 봐야 한다 함은 실로 옳은 말이다. —— M. T. 시세로

자 왈 여선인거 여입지란지실 구이
子가 曰, 與善人居면 如入芝蘭之室하여 久而

불문기향 즉여지화의 여불선인거
不聞其香이라도 卽與之化矣요, 與不善人居면

여입포어지사 구이불문기취 역여지화
如入鮑魚之肆하여 久而不聞其臭라도 亦與之化

의 단지소장자 적 칠지소장자 흑
矣니, 丹之所藏者는 赤하고 漆之所藏者는 黑

시이 군자 필신기소여처자언
이다. 是以로 君子는 必愼其所與處者焉이니라.

[해설] 공자가 말하기를, 착한 사람과 함께 있으면 마치 지초(芝草)와 난초의 방에 든 듯하여 오래 되어서는 그 향기를 맡지 못하더라도 곧 그와 더불어 감화될 것이요, 착하지 않은 사람과 함께 있으면 마치 생선 가게에 든 듯하여 오래 되어서는 그 냄새를 맡지 못하더라도 역시 그와 더불어 감화될 것이니, 붉은 물감에 간수된 것은 붉어지고 검은 물감에 간수된 것은 검어지리라. 그러므로, 군자는 반드시 그 함께 지낼 사람을 신중히 택해야 하느니라고 하였다.

가어 운 여호인동행 여무로중행
家語에 云하되, 與好人同行이면 如霧露中行하여

수불습의 시시유윤 여무식인동행
雖不濕衣라도 時時有潤하고, 與無識人同行이면

여측중좌 수불오의 시시문취
如厠中坐하여 雖不汚衣라도 時時聞臭니라.

[해설] 가어에 이르기를, 학문을 좋아하는 사람과 함께 가면 마치 안개 속을 가는 것과도 같아서 옷이 비록 흠뻑 젖지는 않아도 때때로 물기가 배어듦이 있고, 무식한 사람과 함께 가면 마치 측간(화장실)에 앉는 것과도 같아서 옷이 비록 더럽혀지지는 않아도 때때로 그 냄새가 맡아지느니라고 하였다.

자 왈 안평중 선여인교 구이경지
子가 曰, 晏平仲은 善與人交로다, 久而敬之온여.

[해설] 공자가 말하기를, 안평중은 사람 사귀기를 훌륭히 했도다, 오래도록 변함 없이 공경하였나니.

참고 **안 평중**(晏平仲) : 중국 춘추(春秋) 시대 제(齊)나라 정치가로, 이름은 영(嬰)이며, 평중(平仲)은 그의 시호(諡號)와 자(字)이다. 그는 절약과 역행(力行)으로써 장공(莊公)·경공(景公)을 도와서 제나라를 강성하게 했다.

> 상식 만천하 지심능기인
> 相識이 滿天下하되, 知心能幾人고.

[해설] 서로 얼굴을 아는 사람이야 이 세상에 많되, 그 믿음을 아는 사람은 과연 몇이나 될까.

> 주식형제 천개유 급난지붕 일개무
> 酒食兄弟는 千個有로되, 急難之朋은 一個無니라.

[해설] 술과 음식을 함께 먹을 형제는 천(千)이나 되지만, 매우 급하고 어려울 때의 친구는 하나도 없느니라.

> 군자지교 담여수 소인지교 감약례
> 君子之交는 淡如水하고, 小人之交는 甘若醴니라.

[해설] 군자의 사귐은 담박(淡泊)하기가 물〔水〕과도 같고, 소인의 사귐은 달콤하기가 단술과도 같으니라.

> 불결자화 휴요종 무의지붕 불가교
> 不結子花는 休要種이요, 無義之朋은 不可交니라.

[해설] 열매를 맺지 않는 꽃은 심지를 말고, 의리가 없는 친구는 사귀지를 말아야 하느니라.

> 노요 지마력 일구 견인심
> 路遙에 知馬力이요, 日久에 見人心이니라.

[해설] 길이 멀면 말의 힘을 알게 될 것이요, 날〔日〕이 오래면 사람의 마음을 알게 되느니라.

19. 婦行篇(부행편) — 참다운 여성의 도리

● 나는 부인(婦人)들과 함께 있기를 좋아한다. 나는 그녀들의 아름다움을 좋아한다. 나는 그녀들의 섬세함을 좋아한다. 나는 그녀들의 쾌활함을 좋아한다. 그리고, 나는 그녀들의 침묵을 좋아하고 싶다.
— S. 존슨

익지서 운 여유사덕지예 일왈부덕
益智書에 云하되, 女有四德之譽하니, 一曰婦德이요,
이왈부용 삼왈부언 사왈부공야 부덕
二曰婦容이요, 三曰婦言이요, 四曰婦工也니라. 婦德
자 불필재명 절이 부용자 불필안
者는 不必才名이 絶異요, 婦容者는 不必顏
색 미려 부언자 불필변구이사 부공
色이 美麗요, 婦言者는 不必辯口利詞요, 婦工
자 불필기교과인야
者는 不必伎巧過人也니라.

[해설] 익지서에 이르기를, 여성에게는 기림을 받을 네 가지의 덕이 있나니, 그 첫째는 여성으로서의 덕성이요, 그 둘째는 여성으로서의 용모요, 그 세째는 여성으로서의 말씨요, 그 네째는 여성으로서의 솜씨이니라. 여성으로서의 덕성이란 반드시 재주와 명망이 뛰어남을 뜻하는 것이 아니요, 여성으로서의 용모란 반드시 얼굴이 아주 아름다움을 뜻하는 것이 아니요, 여성으로서의 말씨란 반드시 언변(言辯)이 능란함을 뜻하는 것이 아니요, 여성으로서의 솜씨란 반드시 교묘한 재주가 남다름을 뜻하는 것은 아니니라고 하였다.

기부덕자 청정렴절 수분정제 행지
其婦德者는 淸貞廉節하여 守分整齊하며 行止
유치 동정유법 차위부덕야 부용자
有恥하고 動靜有法이니 此爲婦德也요, 婦容者
세완진구 의복선결 목욕급시
는 洗浣塵垢하여 衣服鮮潔하며 沐浴及時하고
일신무예 차위부용야 부언자 택사이
一身無穢니 此爲婦容也요, 婦言者는 擇師而

설 부담비례 시연후언 인불염기
說하되 不談非禮하고 時然後言하여 人不厭其

언 차위부언야 부공자 전근방적
言이니 此爲婦言也요, 婦工者는 專勤紡績하며

물호훈주 공구감지 이봉빈객 차위
勿好葷酒하고 供具甘旨하여 以奉賓客이니 此爲

부공야 차사덕자 시부인지소불가결자
婦工也라. 此四德者는 是婦人之所不可缺者라,

위지심이 무지재정 의차이행 시위
爲之甚易하고 務之在正하니 依此而行이면 是爲

부절
婦節이니라.

[해설] 여성으로서의 덕성이란 맑고 절개가 곧으며 염치 있고 절제가 있어서 분수를 지켜 마음을 정연히 가다듬고 행실이 수줍음이 있으며 동정(動靜)에 법도가 있는 것이 바로 여성의 덕성이요, 여성으로서의 용모란 항상 먼지나 때를 빨아서 옷차림을 깨끗이 하며 목욕을 제때에 하여 몸에 불결함이 없도록 하는 것이 바로 여성의 용모요, 여성으로서의 말씨란 말을 가려서 하되 그릇된 말은 하지 않으며 꼭 해야 할 때만 말을 하여 사람들이 그 말을 싫어하지 않도록 하는 것이 여성의 말씨요, 여성으로서의 솜씨란 길쌈을 부지런히 하여 반드시 술을 빚는 것만을 능사로 하지 말고 좋은 맛을 갖추어서 손님을 대접하는 것이 바로 여성의 솜씨이니라. 이 네 가지의 덕은 여성으로서 빠뜨려서는 안 될 것으로서, 행하기가 매우 쉽고 또 그렇게 노력하는 것이 올바른 일이니, 이에 의하여 행하면 그것이 바로 여성으로서의 범절이니라.

태공 왈 부인지례 어필세
太公이 曰, 婦人之禮는 語必細니라.

[해설] 태공이 말하기를, 여성의 예절로서는 말소리가 반드시 가늘어야(조용해야, 차분해야) 하느니라고 하였다.

현부 영부귀 악부 영부천
賢婦는 令夫貴요, 惡婦는 令夫賤이니라.

[해설] 어진 아내는 그 남편을 귀하게 만들고, 악한 아내는 그 남편을 천하게 만드느니라.

가유현처　부부조횡화
家有賢妻면 夫不遭橫禍니라.

[해설] 집안에 어진 아내가 있으면 그 남편이 뜻밖의 화를 당하지는 않느니라.

현부　화육친　영부　파육친
賢婦는 和六親하고, 佞婦는 破六親이니라.

[해설] 어진 아내는 육친을 화목하게 하고, 간특한 부녀는 육친을 망치느니라.

참고 육친(六親) : 부(父)·모(母)·형(兄)·제(弟)·처(妻)·자(子), 또는 모·처 대신에 부(夫)·부(婦)를 꼽기도 한다.

20. 增補篇(증보편)

● 남에게 선(善)을 베푼 자는 자기 자신에게 대해서도 선을 베푼 자이다. 이 말은 남에게 베푼 착한 일의 대가를 의미하는 것은 아니다. 착한 일을 한 그 행위 속에 그 의미가 있는 것이다. 왜냐하면, 착한 일을 했다는 의식(意識)은 인간에게 대해서 최고의 대가이기 때문이다.
— L. A. 세네카

주역　왈　선부적　부족이성명　악부적　부족이멸신　소인　이소선　위무익이불위야　이소악　위무상이불거야　고　악적이불가엄　죄대이불가해
周易에 曰, 善不積이면 不足以成名이요, 惡不積이면 不足以滅身이어늘 小人은 以小善으로 爲无益而弗爲也하고, 以小惡으로 爲无傷而弗去也니라. 故로 惡積而不可掩이요, 罪大而不可解니라.

[해설] 주역에 이르기를, 착한 일을 쌓지 않으면 이름을 이루기에 부족할 것이요, 악한 일을 쌓지 않으면 몸을 망치기에 부족하거늘, 소인은 사소한 착함으로써는 이로움이 없다 하여 행하지 않고, 사소한 악으로써는 해로움이 없다고 하여 버리지 않느니라. 그러므로, 악이 쌓이면 그것을 덮을 수가 없고, 죄가 커져서 풀지를 못하느니라고 하였다.

이상 견빙지 신시기군 자시기부비
履霜하면 堅氷至니라, 臣弑其君하며 子弑其父非

일단일석지사 기유래자 점의
一旦一夕之事라, 其由來者가 漸矣니라.

[해설] 서리를 밟을 때가 되면 얼음이 어는 것과 같이, 신하가 그 임금을 죽이며 자식이 그 아버지를 죽이는 것은 하루 아침 저녁으로 되는 것이 아니라, 오래 전부터 그 연유가 있는 것이니라.

21. 八反歌八首(팔반가팔수)

〔録桂宮誌(녹계궁지)〕

● 당신이 만일 착한 길로 나가려면 남을 미워하는 감정을 버려야 한다. 남을 미워하기 시작하면 혼탁한 구렁텅이에 빠지기가 쉽다. 선(善)이나 악(惡)이나 밖에서 오는 것이 아니다. 오로지 나 자신 속에서 생긴다. 만일 당신이 행복하고 또 정직하고 거짓말과 나쁜 짓을 싫어하는 사람이라 하더라도, 남의 악한 행동이나 몰상식한 행위에 대해서 화를 내어서는 안 된다.
—— 에픽테토스

유아 혹매아 아심 각환희 부모
幼兒가 或詈我하면 我心에 覺懽喜하고, 父母가

진노아 아심 반불감 일희환일불
嗔怒我하면 我心에 反不甘이라. 一喜懽一不

감 대아대부심하현 권군금일봉친노
甘하니, 待兒待父心何懸고. 勸君今日逢親怒어든

야응장친작아간
也應將親作兒看하라.

[해설] 어린아이가 혹시라도 나를 꾸짖으면 나는 기쁘고, 부모가 나에게 화를 내면 나는 언짢아지느니라. 한편으로 기쁘고 한편으로 언짢으니, 어린아이를 대하는 것과 부모를 대하는 것이 왜 이토록 거리가 먼가. 그대에게 권하노니, 오늘 어버이를 만났을 때 화를 내시면 마땅히 어버이에게 어린아이 대하듯이 하여라.

아조 출천언 군청상불염 부모 일
兒曹는 出千言하되 君聽常不厭하고, 父母가 一

개구 편도다한관 비한관친괘견 호
開口면 便道多閑管이다. 非閑管親掛牽하고, 皓

수백두 다암간 권군경봉노인언 막
首白頭에 多諳諫이라. 勸君敬奉老人言하고, 莫

교유구쟁장단
教乳口爭長短하라.

[해설] 아이들은 말을 많이 하지만 그것이 지겹지가 않고, 어버이가 말 한 마디만 해도 그것은 지겹다고 하느니라. 이것은 부질없는 것이 아니라 어버이가 근심이 되어서 하는 것이고, 어버이는 늙도록 쌓은 체험에서 하는 말이니라. 그대는 늙은이의 말을 공경하며 받들고, 그 가르침을 젖내나는 입으로 옳거니 그르거니 하지는 말아라.

유아시분예 군심 무염기 노친체타
幼兒屎糞穢는 君心에 無厭忌로되, 老親涕唾

령 반유증혐의 육척구래하처 부정모
零에 反有憎嫌意니라. 六尺軀來何處고. 父精母

혈성여체 권군경대로래인 장시위이근
血成汝體라. 勸君敬待老來人하라. 壯時爲爾筋

골폐
骨敝니라.

[해설] 아이의 오줌 똥이 왜 더럽지가 않으랴만 그대는 그것을 싫어하지도 꺼리지도 않되, 늙은 어버이의 눈물과 침이 흐르는 것은 미워하고 싫어하느니라. 그대의 여섯 자 되는 몸은 어디에서 왔는가. 그대의 몸은 아버지의 정기(精氣)와 어머니의 피로써 이루어진 것이니라. 그대에게 권하노니, 늙은이를 공경하여 대접하여라. 그분들은 젊었을 때 그대를 위하여 살과 뼈가 닳도록 애쓰셨느니라.

간군신입시 매병우매고 소문공부모
看君晨入市하여 買餅又買餻하니 少聞供父母

다설공아조 친미담아선포 자심
하고, 多說供兒曹라. 親未啖兒先飽하니, 子心은

불비친심호 권군다출매병전 공양백두
不比親心好라. 勸君多出買餅錢하여 供養白頭

광 음 소
光陰少하라.

[해설] 그대가 새벽녘에 시장에 가서 떡 사는 것을 보기는 했으나 그것을 어버이께 드린다는 말은 별로 듣지를 못하였고, 대체로 자식에게 준다는 말은 들었느니라. 어버이는 아직 채 삼키지도 않았는데 아이는 벌써 배가 부르니, 자식의 마음은 어버이께 음식을 드려서 기뻐하는 것에 미치지 못하느니라. 그대에게 권하노니, 떡 살 돈을 많이 내어서, 늙은 어버이가 사실 날도 얼마 남지 않았으니 잘 받들어 모시기를 아끼지 말아라.

시 간 매 약 사 　 유 유 비 아 환 　 미 유 장 친 자
市間賣藥肆에 惟有肥兒丸하고, 未有壯親者니,

하 고 양 반 간 　 아 역 병 친 역 병 　 의 아 불 비 의
何故兩般看고. 兒亦病親亦病인대 醫兒不比醫

친 증 　 할 고 　 환 시 친 적 육 　 권 군 극 보 쌍
親症고. 割股라도 還是親的肉이니, 勸君亟保雙

친 명
親命하라.

[해설] 시중의 약장수에게는 아이를 살찌게 하는 약은 있고, 어버이를 튼튼하게 할 약은 없으니, 왜 이 두 가지를 차별하는가. 아이도 앓고 어버이도 아픈데 아이 고치는 일을 어버이 고치는 일과 비교할 것인가. 다리를 베더라도 그것은 어버이의 살이니, 그대여 서둘러서 어버이의 목숨을 먼저 구하여라.

부 귀 　 양 친 이 　 친 상 유 미 안 　 빈 천 　 양
富貴는 養親易로되 親常有未安하고, 貧賤엔 養

아 난 　 아 불 수 기 한 　 일 조 심 양 조 로 　 위
兒難하되 兒不受饑寒이라. 一條心兩條路에 爲

아 종 불 여 위 부 　 권 군 양 친 　 여 양 아 　 범
兒終不如爲父라. 勸君養親을 如養兒하고, 凡

사 　 막 추 가 불 부
事를 莫推家不富하라.

[해설] 부귀하면 어버이 공양하기는 쉬우나 부모는 늘 편안하지가 않고, 가난하고 천

하면 아이 기르기는 어려우나 아이는 굶주리고 춥지는 않느니라. 한 마음에 두 가지 길이지만 아이는 끝끝내 어버이가 위해 주는 것을 앞설 수는 없느니라. 그대에게 권하노니, 어버이 모시기를 아이 기르듯이 하고, 모든 일을 집안이 넉넉지 못해서 그렇다고 미루지는 말아라.

양친 지유이인 상여형제쟁 양아
養親엔 只有二人이로되 常與兄弟爭하고, 養兒엔
수십인 군개독자임 아포난친상문
雖十人이나 君皆獨自任이라. 兒飽煖親常問하되
부모기한부재심 권군양친 수갈력
父母饑寒不在心이라. 勸君養親을 須竭力하라.
당초의식 피군침
當初衣食이 被君侵이니라.

[해설] 어버이 봉양은 단 두 분뿐이로되 항상 형과 아우가 이를 두고 다투고, 아이를 기름은 열 명이라도 모두 저 혼자 떠맡느니라. 아이가 배고프고 따뜻한지는 어버이가 항상 묻되 부모의 배고프고 추운 것은 마음에 두지 않느니라. 그대에게 권하노니, 어버이 받들어 섬김에 정성을 다하여라. 그들은 애초에 옷과 먹을것을 빼앗겼느니라.

친유십분자 군불념기은 아유일분효
親有十分慈하되 君不念其恩하고, 兒有一分孝하되
군취양기명 대친암대아명 수식고당양
君就揚其名이라. 待親暗待兒明하니, 誰識高堂養
자심 권군만신아조효 아조친자재군신
子心고. 勸君漫信兒曹孝하라. 兒曹親子在君身이니라.

[해설] 어버이의 사랑이 가득한데에도 그대는 그 은혜를 생각지도 않고, 아이가 조금만 효도해도 그 이름은 곧 날리느니라. 어버이께 대한 대접은 어둡고 아이에 대한 대접은 밝으니, 어버이가 자식 기르는 마음을 그 누가 알겠는가. 그대에게 권하노니, 아이의 효도를 무턱대고 바라지 말아라. 아이들이 어버이를 제 자식과도 같이 사랑함은 바로 그대에게 달렸느니라.

22. 孝行 續篇(효행 속편) — 진정한 효도의 길

●부모는 정부(政府)가 하는 것보다 더 조심성 있게 그들의 자녀를 보호하고, 훈련시킬 수 있다. "이 모든 백성을 제가 잉태하였나이까?"라고 모세가 말한 이유는 바로 이것이다.
— M. 루터

손순 가빈 여기처 용작인가이양모
孫順이 家貧하여 與其妻로 傭作人家以養母할새

유아매탈모식 순 위처왈 아탈모식
有兒每奪母食이다. 順이 謂妻曰, 兒奪母食하니,

아 가득 모난재구 내부아왕귀
兒는 可得이어니와 母難再求라 하고, 乃負兒往歸

취산북교 욕매굴지 홀유심기석종
醉山北郊하여 欲埋掘地러니, 忽有甚奇石鐘이어늘

경괴시당지 용용가애 처왈 득차기물
驚恠試撞之하니 舂容可愛라. 妻曰, 得此奇物은

태아지복 매지불가 순이위연 장아
殆兒之福이 埋之不可라 하니, 順以爲然하여 將兒

여종환가 현어량당지 왕 문종성
與鐘還家하여 懸於樑撞之니라. 王이 聞鐘聲이

청원이상이핵문기실 왈석 곽거 매자
淸遠異常而覈聞其實하고, 曰昔에 郭巨가 埋子엔

천사금부 금손순 매아 지출석종
天賜金釜러니, 今孫順이 埋兒엔 地出石鐘하니

전후부동 사가일구 세급미오십
前後符同이라 하고, 賜家一區하고 歲給米五十

석
石하니라.

[해설] 손 순이 집안이 가난해 그 아내와 더불어 남의 집 고용살이를 하며 그 어머니를 봉양하는데, 그들에게 아이가 있어 항상 어머니가 잡수시는 것을 빼앗는지라. 순

이 아내에게 일러 말하기를, 아이가 어머니 잡수시는 것을 빼앗으니 아이는 또 얻을 수가 있으나 어머니는 다시 구하기가 어렵소라 하고, 마침내 아이를 업고 귀취산 북쪽으로 가서 묻으려고 땅을 파니, 홀연히 매우 이상한 돌종이 있어서 놀랍고 이상히 여겨 시험삼아 두드려 보니 그 소리가 아름답고도 정겨웠느니라. 아내가 말하기를, 이처럼 이상한 물건을 얻은 것은 아이가 복되기 때문이니 아이를 묻어서는 안 되오라고 하니, 순도 그렇게 생각하고 아이와 종을 가지고 돌아와서 종을 대들보에다 달고 이것을 울렸느니라. 임금이 멀리서 맑게 들려 오는 종소리를 듣고 이상히 여겨 조사하도록 하여 그 사실을 듣고 말하기를, 옛날 곽 거가 아들을 땅에 묻었을 때에는 하늘이 금솥을 내리셨는데, 이제 손 순이 아이를 묻으려 하자 돌종이 나왔으니 앞뒤가 꼭 맞는구나라 하고, 그들에게 집 한 채와 쌀 오십 석을 내리시었느니라.

참고 손 순(孫順): 경주(慶州) 손씨(孫氏)의 시조인데, 그는 신라 제42대 흥덕왕(興德王) 때 신라 삼기(三器)의 하나인 돌종을 얻은 효자로서 이름이 높았다.
곽 거(郭巨): 중국 진(晋)나라 때의 사람인데, 중국 대효자(大孝子) 중의 한 사람으로서 이름을 남겼다.

상덕 치년황여역 부모기병빈사 상덕
尙德은 値年荒癘疫하여 父母飢病瀕死라. 尙德이

일야불해의 진성안위 무이위양즉규비
日夜不解衣하고 盡誠安慰하되, 無以爲養則刲髀

육식지 모발옹 윤지즉유 왕 가지
肉食之하고, 母發癰에 吮之卽瘉라. 王이 嘉之하여

사뢰심후 명정기문 입석기사
賜賚甚厚하고, 命旌其門하고, 立石紀事하니라.

[해설] 상덕은 흉년과 질병이 유행하는 해〔年〕를 만나서 그의 부모가 굶어죽게 되었느니라. 상덕은 밤낮으로 옷을 벗지 아니하고 정성을 다하여 편안케 하며 위로해 드리되, 봉양할 것이 없으면 자기의 넓적다리를 베어 그 살을 잡수시게 하고, 어머니의 몸에 종기가 나면 그것을 입으로 빨아서 낫게 했느니라. 임금이 이 소식을 듣고 그를 어여삐 여겨 재물을 후하게 내리고, 또 표창하는 뜻으로 그 집에 문을 세우도록 하고, 비석을 세워서 이 일을 기리게 하였느니라.

참고 상덕(尙德): 신라 때의 효자로서 이름이 높았는데, 그가 살던 마을은 이에서 '효가리(孝家里)'라고 하였다.

도씨가빈지효 매탄매육 무궐모찬
都氏家貧至孝라. 賣炭買肉하여 無闕母饌이러라.

일일 어시 만이망귀 연홀확육
一日은 於市에 晩而忙歸러니 鳶忽攫肉이어늘,

도 비호지가 연기투육어정 일일모
都가 悲號至家하니 鳶旣投肉於庭이러라. 一日母

병색비시지홍시 도 방황시림 불각
病索非時之紅柿어늘, 都가 彷徨柿林하여 不覺

일혼 유호루차전로 이시승의 도
日昏이러니, 有虎屢遮前路하고 以示乘意라. 都가

승지백여리산촌 방인가투숙 아이주
乘至百餘里山村하여 訪人家投宿이러니, 俄而主

인 궤제반이유홍시 도 희문시지내력
人이 饋祭飯而有紅柿라. 都가 喜問柿之來歷

차술기의 답왈 망부기시고 매추
하고 且述己意한대, 答曰, 亡父嗜柿故로 每秋

택시이백개 장제굴중이지차오월즉완자
擇柿二百個하여 藏諸窟中而至此五月則完者

불과칠팔 금득오십개완자고 심이지
不過七八이라, 今得五十個完者故로 心異之러니

시천감군효 유이이십과 도 사출
是天感君孝라 하고, 遺以二十顆어늘, 都가 謝出

문외 호상사복 승지가 효계악악
門外하니 虎尙俟伏이라. 乘至家하니 曉鷄喔喔

후 모이천명 종 도유혈루
이러라. 後에 母以天命으로 終에 都有血淚러라.

[해설] 도씨는 비록 집안이 가난하였으나 효성은 극진하였느니라. 숯을 팔아서 고기를 사다가 그 어머니의 반찬에 빠뜨리지 않았느니라. 하루는 시장에서 늦게 바삐 돌아오는데 솔개가 느닷없이 고기를 채어갔거늘, 도씨는 슬피 울며 집에 돌아와 보니 솔개가 이미 그 고기를 집 뜰에 갔다 놓았느니라. 하루는 어머니가 병들어 때 아닌 홍시를 찾거늘, 도씨는 감나무 숲으로 가서 찾다가 날이 저문 것도 몰랐는데, 호랑이가 나타나서는 앞길을 가로막고 올라타라는 시늉을 했느니라. 도씨가 호랑이를 타고 백여 리나 되는 산 속에 이르자 밤이 되어 사람 사는 집을 찾아서 자려고 하였는데, 얼마 안 되어 주인이 제삿밥을 차려 주기에 보니 그곳에 홍시가 있었느니라. 도씨가 기뻐하며 웬 감이냐고 또 자기의 뜻을 말하자, 주인이 대답하기를, 돌아가신 아버지께서 감을 좋아하신 고로 해마다 가을이 되면 감 이백 개를 골라서 모두 굴 속에다

저장하여 두되 오월이 되면 이 중에서 상하지 않은 것은 일곱 여덟 개밖에 안되는데, 지금은 쉰 개나 상하지 않은 것이 있는 고로 이상하니, 이것은 하늘이 그대의 효성에 감동한 것이라 하고, 스무 개의 감을 주었거늘, 도씨가 고맙다 말하고 나오니 호랑이는 아직도 누워서 그를 기다리고 있었느니라. 호랑이를 타고 집에 이르니 새벽닭이 울더라. 후에 어머니가 천명을 다하고 돌아 가시자, 도씨는 피눈물을 흘리며 울었느니라.

참고 도씨(都氏) : 조선 철종(哲宗) 때 예천(禮泉) 사람으로, 효성이 지극한 것으로서 이름이 높았다.

23. 廉義篇(염의편) —— 염치와 의리를 지키는 길

● 대개의 사람들은 적은 의리(義理)를 돌려 주고 싶어한다. 많은 사람들이 중간쯤의 의리에서 대해선 감사의 염(念)을 품지만, 그러나 큰 은혜에 대해서는 은혜를 모르는 체하고 나오는 사람은 우선 없다.
—— F. D. 라로슈푸코

인관　　매면어시　　유서조자이곡매지이환
印觀이 賣綿於市할새 有署調者以穀買之而還

유연　　확기면　　타인관가　　인관
이러니, 有鳶이 攫其綿하여 墮印觀家니라. 印觀이

귀우서조왈　　연타여면어오가　　고　　환여
歸于署調曰, 鳶墮汝綿於吾家라 故로 還汝하노라.

서조왈　　연확면여여　　천야　　오하위수
署調曰, 鳶攫綿與汝는 天也라 吾何爲受오.

인관왈　　연즉환여곡　　서조왈　　오여여자
印觀曰, 然則還汝穀하리라. 署調曰, 吾與汝者가

시이일　　곡이속여의　　이인　　상양
市二日이니 穀已屬汝矣라고 二人이 相讓이다가

병기어시　　당시관　　이문왕　　병사작
并棄於市하니 掌市官이 以聞王하여 並賜爵하니라.

[해설] 인관이 시장에서 솜을 파는데 서조가 곡식으로써 이것을 사가지고 갈 때에 솔개가 솜을 채어 가지고 인관의 집에다 떨어뜨렸느니라. 인관은 서조에게 이 솜을 돌려 주며 말하기를, 솔개가 그대의 솜을 내 집에다 떨어뜨린 고로 당신에게 돌려 드리오라고 하였다. 서조가 말하기를, 솔개가 솜을 채어 그대에게 준 것은 하늘이

한 일인 고로 내가 어찌 받겠소라고 하였다. 인관이 말하기를, 그렇다면 그대의 곡식은 되돌려 주겠소라고 하였다. 서조가 말하기를, 내가 그대에게 곡식을 준 지는 두 번이나 장이 지났으니 곡식은 이미 당신의 것이오라 하고, 두 사람이 서로 사양하다가 그 솜과 곡식을 모두 시장에다 버리니, 시장을 관리하던 자가 이 사실을 임금께 아뢰었고, 임금은 이 두 사람에게 다같이 벼슬을 내리었느니라.

참고 **인관**(印觀) : 신라 때 사람인데, 청렴한데다 의리 있기로 이름이 높았다.

홍 기 섭 소 빈 심 무 료 일 일 조 비 아 용 약
洪基燮이 少貧甚無料러니, 一日早에 婢兒踊躍

헌 칠 량 전 왈 차 재 정 중 미 가 수 석 시 가
獻七兩錢曰, 此在鼎中하니 米可數石이요 柴可

수 태 천 사 천 사 공 경 왈 시 하 금
數駄니 天賜天賜니다. 公이 驚曰, 是何金고.

즉 서 실 금 인 추 거 등 자 부 지 문 미 이 대 아
即書失金人推去等字하여 付之門楣而待러니 俄

이 성 유 자 래 문 서 의 공 실 언 지 유
而姓劉者來問書意어늘 公이 悉言之한대, 劉가

왈 이 무 실 금 어 인 지 정 내 과 천 사 야 합
曰, 理無失金於人之鼎內하니 果天賜也라. 盍

취 지 공 왈 비 오 물 하 유 부 복
取之고. 公이 曰, 非吾物에 何오. 劉가 俯伏

왈 소 적 작 야 위 절 정 래 환 린 가 세 소
曰, 小的이 昨夜에 爲窃鼎來라가 還憐家勢蕭

조 이 시 지 금 감 공 지 렴 개 양 심 자 발
條而施之러니, 今感公之廉价하고, 良心自發하여

서 불 갱 도 원 욕 상 대 물 려 취 지
誓不更盜하고, 願欲常待하나니 勿慮取之하소서.

공 즉 환 금 왈 여 지 위 량 즉 선 의 금 불 가
公이 即還金曰, 汝之爲良則善矣나 金不可

취 종 불 수 후 공 위 판 서
取라 하고, 終不受러라. 後에 公이 爲判書하고,

기 자 재 룡　위 헌 종 국 구　유 역 견 신　신
其子在龍이 爲憲宗國舅하며, 劉亦見信하여 身
가 대 창
家大昌하니라.

[해설] 홍 기섭은 벌어 놓은 것이 없어 매우 가난하였는데, 어느 날 일찍 어린 계집종이 좋아 날뛰며 돈 일곱 냥을 바치며 말하기를, 이것이 솥 속에 있었사온데 이만하면 쌀이 두어 섬과 나무가 두어 바리이니 이건 하늘이 주신 것이나이다라고 하였다. 공〔홍 기섭〕이 놀라 말하기를, 이게 웬일인고 하며, 돈 잃은 사람은 찾아가라는 글을 써서 문 밖에 붙이고 기다리니, 마침 성이 유라는 사람이 찾아와 글뜻을 묻거늘 공이 하나도 남김 없이 그 사실을 말하자, 유씨가 말하기를, 남의 솥 속에다 돈을 잃을 사람은 없으니 이것은 하늘이 주신 것이오. 왜 가지지 않소라고 하였다. 공이 말하기를, 내 물건이 아닌데 왜 가진단 말이오라고 하였다. 유씨가 엎드려 말하기를, 소인이 어젯밤에 훔치러 왔다가 공의 집안이 하도 쓸쓸함을 도리어 가엾게 여겨 이것을 놓고 돌아갔는데, 지금 공의 높고 깨끗하며 욕심이 없음을 보고 탄복하옵고, 제 양심이 스스로 생겨 도둑질하지 않을 것을 맹세하고, 공을 항상 모시기를 원하옵나니 심려 마시고 받아주시옵소서라고 하였다. 공이 돈을 돌려 주며 말하기를, 그대가 선량한 사람이 된 것은 매우 좋으나 돈을 가질 수 없소라 하고, 끝내 받지 않더라. 후에 공은 판서가 되고, 그의 아들 재룡은 헌종의 장인이 되었으며, 유씨도 역시 몸과 집안이 크게 번영하였느니라.

고 구 려 평 원 왕 지 녀　유 시　호 제　왕　희
高句麗平原王之女는 幼時에 好啼러니, 王이 戲
왈　이 여　장 귀 우 우 온 달　급 장　욕 하
曰, 以汝로 將歸于愚溫達하리라. 及長에 欲下
가 우 상 부 고 씨　여 이 왕 불 가 식 언　고 사
嫁于上部高氏한대, 女以王不可食言으로 固辭하고,
종 위 온 달 지 처　개 온 달　가 빈　행 걸 양
終爲溫達之妻니라. 盖溫達이 家貧하여 行乞養
모　시 인　목 위 우 온 달 야　일 일　온 달
母러니, 時人이 目爲愚溫達也러라. 一日은 溫達이
자 산 중　부 유 피 이 래　왕 녀 방 견 왈　오 내
自山中으로 負楡皮而來하니, 王女訪見曰, 吾乃

자 지 필 야　　내 매 수 식 이 매 전 택 기 물　　파 부
子之匹也하고, 乃賣首飾而買田宅器物하여 頗富

다 양 마 이 자 온 달　　종 위 현 영
하고, 多養馬以資温達하여 終爲顯榮하니라.

[해설] 고구려 평원왕의 딸은 어렸을 적에 잘 울었는데, 왕이 놀려대며 말하기를, 너는 장차 바보 온달에게나 시집보내겠노라고 하였느니라. 그 딸이 성장하자 상부 고씨에게 시집보내려고 하였는데, 공주는 임금님은 절대로 거짓말을 아니한다 하며 사양하고, 마침내 온달의 아내가 되었느니라. 대체로 온달은 가난하여 돌아다니며 구걸하여다가 그 어머니를 봉양하니, 그 때 사람들은 이를 보고 바보 온달이라 하였느니라. 하루는 온달이 산 속에서 느티나무 껍질을 지고 돌아오니, 임금의 딸이 찾아와 말하기를, 저는 바로 그대의 아내입니다라 하고, 그녀는 비녀와 장식품을 팔아서 밭과 집과 살림을 장만하여 매우 부유하게 되었고, 말을 많이 길러 온달을 도와서 마침내 이름이 빛나게 하였느니라.

참고 **평원왕**(平原王; ?～590) : 고구려의 제25대 임금으로, 이름은 양성(陽城)이다. 그는 진(陳)·수(隋)·북제(北齊)·후주(後周) 등 모든 나라와 수호(修好)하였으며, 586년에는 도읍을 장안성〔長安城; 지금의 평양〕으로 옮기었다.

온달(溫達; ?～590) : 고구려 제25대 평원왕 때의 장수이다. '바보 온달'로 불리던 그는 평강(平岡) 공주와 결혼한 후 무예를 연마, 낙랑(樂浪)에서 열리는 사냥 대회에서 두각을 나타내었다. 그리고, 후주(後周)의 무제(武帝)가 요동(遼東)을 침입하자 고구려군의 선봉으로서 공을 세웠고, 이로써 대형(大兄)이 되었다. 또, 영양왕(嬰陽王) 1년(590)에는 신라에게 빼앗긴 한북(漢北)의 옛땅을 되찾고자 출정하였으나, 아차성〔阿且城; 일명 아단성(阿旦城)〕 싸움에서 전사하였다.

24. 勸學篇(권학편) —— 힘써 배우는 길

● 아무런 것도 배우지를 않고 그냥 있기보다는, 무용(無用)한 사물(事物)일지라도 배우는 편이 훨씬 더 낫다.
—— L. A. 세네카

주 자　　왈　물 위 금 일 불 학 이 유 내 일　　물 위
朱子가 曰, 勿謂今日不學而有來日하며, 勿謂

금 년 불 학 이 유 내 년　　일 월 서 의　　세 불 아 연
今年不學而有來年하라. 日月逝矣나 歲不我延

오 호 노 의　　시 수 지 건
이니, 嗚呼老矣라, 是誰之愆고.

[해설] 주자가 말하기를, 오늘 배우지를 않고서 내일이 있다고 말하지 말며, 금년에 배우지를 않고서 내년이 있다고 말하지 말아라. 세월은 흘러서 나를 위해 기다리지 않나니, 오 늙음이여, 이것은 누구의 탓인고라고 하였다.

소년 이로 학난성 일촌광음 불
少年은 易老하고 學難成하나니, 一寸光陰이라도 不
가경 미각지당 춘초몽 계전오엽
可輕하라. 未覺池塘에 春草夢인데, 階前梧葉은
이추성
已秋聲이라.

[해설] 소년은 늙기가 쉽고, 학문은 이루기가 어렵나니, 아주 짧은 시간이라도 아껴서 써라. 아직도 연못의 봄풀은 꿈에서 깨어나지 못하였는데, 섬돌 앞의 오동나무는 가을을 재촉하는구나.

도연명시 운 성년 부중래 일일 난
陶淵明詩에 云, 盛年은 不重來하고, 一日은 難
재신 급시 당면려 세월 부대인
再晨이니, 及時엔 當勉勵하라. 歲月은 不待人이니라.

[해설] 도 연명의 시에 이르기를, 젊음은 두 번 오지 않고, 하루에는 새벽이 다시 오지 않으니, 때가 되거든 마땅히 학문에 힘을 써라. 세월은 사람을 기다리지 않느니라고 하였다.

참고 도 연명(陶淵明; 365~427) : 중국 진(晋)나라 시인으로, 이름은 잠(潛)이다. 그는 405년에 팽택(彭澤)의 영(令)이 되었으나, 80여일 후에 〈귀거래사(歸去來辭)〉를 남기고 귀향하였으며, 은사(隱士)로서 문 앞에 오류나무를 심고 스스로를 '오류 선생'이라 일컬었다. 그리고, 다채롭고도 평이한 시풍(詩風)으로 자연 풍경을 아름답게 노래했는데, 중국의 서경시(敍景詩)는 이에서 발달하였다. 대표 저서에는 〈도화원기(桃花源記)〉가 있다.

순자 왈 부적규보 무이지천리 부적
荀子가 曰, 不積跬步면 無以至千里요, 不積
소류 무이성강하
小流면 無以成江河니라.

[해설] 순자가 말하기를, 발걸음도 쌓지를 않으면 천 리에 이르지 못하고, 작게 흐르는 물도 괴지가 않으면 강을 이루지는 못하느니라고 하였다.

文教部 選定 1,800漢字

● 이 문교부 선정 기초 교육용 한자는 문교부가 1972년 8월 16일에 확정 공표한, 중학교용 900자, 고등 학교용 900자, 모두 1,800자이다.

—가

家 집
佳 아름다울
街 거리
可 옳을
歌 노래
加 더할
價 값
假 거짓
架 가설할
暇 겨를

—각

各 각각
角 뿔
脚 다리
閣 누각
却 물리칠
覺 깨달을
刻 새길

—간

干 방패
間 사이
看 볼
刊 책 펴낼
肝 간
幹 줄기
簡 간략할
姦 간사할
懇 간절할

—갈

渴 목마를

—감

甘 달
減 덜
感 느낄
敢 구태여
監 감독할
鑑 살필

—갑

甲 갑옷

—강

江 물
降 내릴 강, 항복할 항
講 강론할
强 강할
康 편안할
剛 굳셀
鋼 강철
綱 벼리

—개

改 고칠
皆 모두
個 낱
開 열
介 낄
慨 분할
概 대개
蓋 덮을

—객

客 손

—갱

更 다시 갱, 고칠 경

—거

去 갈
巨 클
居 살
車 수레 거, 차
擧 들
距 떨어질
拒 막을
據 의거할

—건

建 세울
乾 하늘
件 사건
健 굳셀

—걸

傑 호걸

—검

儉 검소할
劍 칼
檢 검사할

—게

憩 쉴

—격

格 법식
擊 칠
激 격동할

—견

犬 개
見 볼 견, 드러날 현
堅 굳을
肩 어깨
絹 비단
遣 보낼

—결

決 정할
結 맺을
潔 깨끗할
缺 이지러질

—겸

兼 겸할
謙 겸손할

—경

京 서울
景 볕
輕 가벼울
經 경서
庚 천간
竟 마침내
境 지경
鏡 거울
頃 때
傾 기울
耕 밭갈
敬 공경
驚 놀랄
慶 경사
競 다툴
硬 굳을

警 경계할
徑 지름길
卿 벼슬

—계

癸 천간
季 철
界 지경
計 셈할
溪 시내
系 이을
係 맬
戒 경계할
械 기계
繼 이을
鷄 닭
契 맺을 계, 나라 이름 글
桂 계수나무
啓 열
階 섬돌

—고

古 옛
故 연고
固 굳을
苦 괴로울
考 상고할
枯 마를
姑 시어미
庫 창고
孤 외로울
鼓 북
高 높을
告 고할
稿 볏짚
顧 돌아볼

—곡

谷 골
曲 굽을
穀 곡식
哭 울

—곤

困 곤할
坤 땅

—골

骨 뼈

—공

工 장인
功 공
空 하늘
共 함께
公 공변될
孔 구멍
供 이바지할
恭 공손할
攻 칠
恐 두려울
貢 바칠

—과

果 과실
課 매길
科 과목
過 지날
戈 창
瓜 외
誇 자랑할
寡 적을

—곽

郭 성곽

—관

官 벼슬
觀 볼
關 관계할
館 객사
管 주관할
貫 관향
慣 익숙할
冠 갓
寬 너그러울

—광

光 빛
廣 넓을
鑛 쇳덩이

—괘

掛 걸

—괴

塊 흙덩어리
愧 부끄러울
怪 괴이할
壞 무너질

—교

交 사귈
校 학교
橋 다리
教 가르칠
郊 들
較 비교할
巧 공교할
矯 바로잡을

—구

九 아홉
口 입
求 구할
救 도울
究 궁구할
具 갖출
俱 함께
區 구역
驅 몰
鷗 갈매기
久 오랠
句 글귀 구, 귀절 귀
舊 옛
苟 구차할
拘 잡을
丘 언덕
懼 두려워할
龜 땅이름 구, 거북 귀, 터질 균
構 얽을
球 구슬
狗 개구

—국

國 나라
菊 국화
局 판

—군

君 임금
郡 고을
軍 군사
群 무리

—굴

屈 굽을

—궁

弓 활
宮 궁궐
窮 궁할

—권

卷 굽을
權 권세
勸 권할
券 문서
拳 주먹

—궐

厥 그

—귀

貴 귀할
歸 돌아올
鬼 귀신

—규

叫 부르짖을
規 법
閨 안방

—균

均 고를
菌 버섯

—극

極 지극할
克 이길
劇 연극

—근

近 가까울
勤 부지런할
根 뿌리
斤 근
僅 겨우
謹 삼갈

—금

金 쇠 금, 성씨 김

今 이제
禁 금할
錦 비단
禽 날짐승
琴 거문고

—급

及 미칠
給 줄
急 급할
級 등급

—긍

肯 즐길

—기

己 천간
記 기록할
起 일어날
其 그
期 기약
紀 기강
忌 꺼릴
旗 기
欺 속일
奇 기이할
基 터
氣 기운
技 재주
幾 몇
旣 이미
騎 말탈
寄 붙을
豈 어찌 기, 승전악 개
棄 버릴
祈 빌
企 꾀할
畿 경기
飢 주릴
器 그릇
機 틀

—긴

緊 요긴할

—길

吉 길할

—나

那 어찌

—낙

諾 허락

—난

暖 따뜻할
難 어려울

—남

南 남녘
男 사내

—납

納 들일

—낭

娘 각시

—내

內 안 내, 여관 나
乃 이에
奈 어찌 내, 나
耐 견딜

—녀

女 계집

—년

年 해

—념

念 생각

—녕

寧 편안할

—노

怒 성낼
奴 종
努 힘쓸

—농

農 농사
濃 걸찍할

—뇌

腦 머릿골
惱 번뇌할

—능

能 능할

—니

泥 진흙

—다

多 많을
茶 차 다, 차

—단

丹 붉을
但 다만
單 홑
短 짧을
端 끝
旦 아침
段 층계
壇 단
檀 박달나무
斷 끊을
團 둥글

—달

達 통달할

—담

談 말씀
淡 묽을
潭 못
擔 질

—답

答 대답할
畓 논
踏 밟을

—당

堂 집
當 마땅할
唐 당나라
糖 엿 당, 탕
黨 무리

—대

大 큰
代 대신할
待 기다릴
對 대할
帶 띠
臺 대
貸 빌릴
隊 떼

—덕

德 큰

—도

刀 칼
到 이를
度 법 도, 헤아릴 탁
道 길
島 섬
倒 넘어질
桃 복숭아
挑 돋을
跳 뛸
逃 달아날
徒 무리
都 도읍
圖 그림
渡 건널
陶 질그릇
途 길
稻 벼
導 이끌
盜 도둑

—독

讀 읽을 독, 귀절 두
獨 홀로
毒 독할
督 감독할
篤 두터울

—돈

豚 돼지
敦 두터울

—돌

突 부딪칠

—동

同 한가지
洞 고을 동, 통할 통
童 아이
冬 겨울
東 동녘
銅 구리
桐 오동나무
凍 얼
動 움직일

—두

斗 말
豆 콩
頭 머리

——둔

鈍 무딜

——득

得 얻을

——등

等 무리
登 오를
燈 등잔

——라

羅 그물

——락

落 떨어질
樂 즐길 락, 풍류 악, 좋아할 요
洛 물이름
絡 연락할

——란

卵 알
亂 어지러울
蘭 난초
欄 난간
爛 빛날

——람

覽 볼
藍 푸를
濫 넘칠

——랑

浪 물결
郞 사내
朗 밝을
廊 곁채

——래

來 올

——랭

冷 찰

——략

略 간략할
掠 노략질할

——량

良 어질
兩 둘
量 헤아릴
涼 서늘할
梁 들보
糧 양식
諒 양해할

——려

旅 나그네
麗 고울
慮 생각할
勵 힘쓸

——력

力 힘
歷 지낼
曆 책력

——련

連 이을
練 익힐
鍊 단련할
憐 불쌍히 여길
聯 연합할
戀 사모할
蓮 연꽃

——렬

列 벌일
烈 매울
裂 찢을
劣 용렬할

——렴

廉 청렴할

——령

令 명령할
領 거느릴
嶺 재
零 영
靈 신령

——례

例 법식
禮 예도

——로

路 길
露 이슬
老 늙을
勞 수고할
爐 화로

——록

綠 초록빛
祿 녹
錄 기록할
鹿 사슴

——론

論 의론할

——롱

弄 희롱할

——뢰

雷 우뢰
賴 의지할

——료

料 헤아릴
了 마칠

——룡

龍 용

——루

屢 여러
樓 다락
累 포갤
淚 눈물
漏 샐

——류

柳 버들
留 머무를
流 흐를
類 무리

——륙

六 여섯
陸 뭍

——륜

倫 인륜
輪 바퀴

——률

律 법
栗 밤
率 비율 률, 거느릴 솔

——륭

隆 성할

——릉

陵 언덕무덤

——리

里 마을
理 이치
利 이로울
梨 배
李 오얏
吏 관리
離 떠날
裏 속
履 밟을

——린

隣 이웃

——림

林 수풀
臨 임할

——립

立 설

——마

馬 말
麻 삼
磨 갈

——막

莫 없을
幕 장막
漠 사막

——만

萬 일만
晩 늦을
滿 찰
慢 거만할
漫 부질없을
蠻 오랑캐

——말

末 끝

——망

亡 망할
忙 바쁠
忘 잊을

望 바랄
茫 망망할
妄 망령될
罔 없을

—매

每 매양
買 살
賣 팔
妹 아랫누이
梅 매화나무
埋 묻을
媒 중매

—맥

麥 보리
脈 맥

—맹

孟 맏
猛 사나울
盟 맹세할
盲 소경

—면

免 면할
勉 힘쓸
面 낯
眠 잠잘
綿 솜

—멸

滅 멸할

—명

名 이름
命 목숨
明 밝을
鳴 울
銘 새길
冥 어두울

—모

母 어미
毛 털
暮 저물
某 아무
謀 꾀할
模 법
矛 창
貌 모양
募 뽑을
慕 사모할

—목

木 나무
目 눈
牧 기를
沐 머리 감을
睦 화목할

—몰

沒 빠질

—몽

夢 꿈
蒙 어릴

—묘

卯 토끼
妙 묘할
苗 싹
廟 사당
墓 무덤

—무

戊 천간
茂 무성할
武 호반
務 힘쓸
無 없을
貿 무역할
霧 안개
舞 춤출

—묵

墨 먹
默 잠잠할

—문

門 문
問 물을
聞 들을
文 글월

—물

勿 말
物 만물

—미

米 쌀
未 아닐
味 맛
美 아름다울
尾 꼬리
迷 미혹할
眉 눈썹

—민

民 백성
敏 민첩할
憫 불쌍히 여길

—밀

密 빽빽할
蜜 꿀

—박

泊 고요할
拍 칠
迫 핍박할
朴 순박할
博 너를
薄 엷을

—반

反 돌이킬 반, 뒤칠 번
飯 밥
半 반
般 일반
盤 쟁반
班 반렬
返 돌아올
叛 배반할

—발

發 필
拔 뺄
髮 머리털

—방

方 모
房 방
防 방비할
放 놓을
訪 찾을
芳 꽃다울
傍 곁
妨 방해할
倣 본받을
邦 나라

—배

拜 절
杯 잔
倍 곱
培 북돋울
配 짝
排 물리칠
輩 무리
背 등

—백

白 흰
百 일백
栢 맏
柏 잣나무

—번

番 차례
煩 번거로울
繁 성할
飜 번역할

—벌

伐 칠
罰 벌줄

—범

凡 범상
犯 범할
範 법
汎 넓을

—법

法 법

—벽

壁 벽
碧 푸를

—변

變 변할
辯 말 잘할
辨 분별할
邊 변두리

—별

別 다를

—병

丙 남녘
病 병들
兵 군사
竝 아우를
屛 병풍

—보

保 보전할
步 걸음
報 고할
普 넓을
譜 계보
補 도울
寶 보배

—복

福 복
伏 엎드릴
服 옷
復 회복할 복, 다시 부
腹 배
複 겹칠
卜 점칠

—본

本 근본

—봉

奉 받들
逢 만날
峯 봉우리
蜂 벌
封 봉할
鳳 새

—부

夫 사내
扶 도울
父 아비
富 부자
部 나눌
付 부칠
符 병부
附 붙을
府 마을
腐 썩을
婦 아내
否 아닐 부, 막힐 비
浮 뜰
負 질
副 버금
簿 장부
膚 살갗
赴 다다를
賦 지을

—북

北 북녘 북, 달아날 배

—분

分 나눌
紛 어지러울
粉 가루
奔 달아날
墳 무덤
憤 분할
奮 떨칠

—불

不 아닐 불
佛 부처
弗 아니
拂 털

—붕

朋 벗
崩 무너질

—비

比 견줄
非 아닐
悲 슬플
飛 날
鼻 코
批 비평할
卑 낮을
婢 계집종
碑 비석
妃 왕비
備 갖출
肥 살찔
秘 숨길
費 비용

—빈

貧 가난할
賓 손
頻 자주

—빙

氷 얼음
聘 청할

—사

四 넉
巳 뱀
士 선비
仕 벼슬
寺 절
司 맡을
詞 말씀
蛇 뱀
捨 버릴
邪 간사할 사, 어조사 야
使 부릴
史 사기
舍 집
射 쏠 사, 벼슬이름 야
謝 사례할
賜 줄
斜 비낄
詐 속일
社 모일
沙 모래
師 스승
死 죽을
私 사사로울
絲 실
思 생각할
似 같을
査 조사할
寫 베낄
辭 말씀
斯 이
事 일
祀 제사

—삭

削 깎을
朔 초하루

—산

山 뫼
産 낳을
散 흩을
算 셈할
酸 초

—살

殺 죽일 살, 감할 쇄

—삼

三 석
森 나무 빽빽할

—상

上 웃
尙 오히려
常 항상
賞 상줄
商 장사
嘗 맛볼
裳 치마
詳 자세할
祥 상서로울
床 평상
相 서로
霜 서리
想 생각할
傷 상할
喪 잃을
象 코끼리
像 형상
桑 뽕나무
狀 형상 상, 문서 장
償 갚을

—쌍

雙 둘

—새

塞 변방 새, 막힐 색

—색

色 빛
索 찾을 색, 쓸쓸할 삭

—생

生 날

—서

西 서녘
序 차례
書 글
暑 더위
敍 펼
徐 천천할
庶 여럿
恕 용서할
署 더위
緖 실마리

—석

石 돌
夕 저녁
昔 옛
惜 아낄
席 자리
析 나눌
釋 해석할

—선

先 먼저
仙 신선
線 실
鮮 생선
善 착할
宣 베풀
旋 돌
禪 사양할
船 배
選 가릴

—설

雪 눈
說 말씀 설, 달랠 세
設 베풀
舌 혀

—섭

涉 물 건널

—성

姓 성
性 성품
成 이룰
城 재
誠 정성
盛 성할
省 살필 성, 덜 생
星 별
聖 성스러울
聲 소리

—세

世 인간
洗 씻을
稅 세금
細 가늘
勢 세력
歲 나이

—소

小 작을
少 적을
所 바
消 끌
素 흴
召 부를
昭 밝을
蘇 깨어날
騷 떠들
燒 불사를
笑 웃을
訴 소송할
掃 쓸
疏 성길
蔬 나물

—속

俗 풍속
速 빠를
續 이을
束 묶을
粟 식량
屬 붙을 속, 부칠 촉

—손

孫 손자
損 덜

—송

松 소나무
送 보낼
頌 칭송할
訟 소송할
誦 욀

—쇄

刷 박을
鎖 쇠사슬

—쇠

衰 쇠할 쇠, 상복 최

—수

水 물
手 손
受 받을
授 줄
首 머리
囚 가둘
需 쓸
帥 거느릴
殊 다를
隨 따를
守 지킬
收 거둘
誰 누구
須 모름지기
雖 비록
輸 보낼
獸 길짐승
睡 잠잘
遂 드디어
愁 근심
樹 나무
壽 목숨
數 셀 수, 자주 삭
修 닦을
秀 빼어날

—숙

叔 아재비
淑 맑을
宿 잘 숙, 별 수
孰 누구
熟 익을
肅 엄숙할

—순

順 순할
純 순수할
旬 열흘
殉 따라 죽을
盾 방패
循 좇을
脣 입술
瞬 끔적일
巡 순행할

—술

戌 개
述 베풀
術 재주

—숭

崇 높을

—습

習 익힐
拾 주울 습, 열 십
濕 젖을
襲 엄습할

—승

乘 탈
承 이을
勝 이길
升 되
昇 오를
僧 중

—시

市 저자
示 보일
是 이
時 때
詩 시
矢 화살
侍 모실
視 볼
施 베풀
試 시험할
始 비로소

—씨

氏 성씨 씨,

나라이름 지

—식

食 먹을 식, 밥 사
式 법
植 심을
識 알 식, 기록할 지
息 숨쉴
飾 꾸밀

—신

身 몸
申 납
神 귀신
臣 신하
信 믿을
伸 펼
晨 새벽
愼 삼갈
辛 매울
新 새

—실

失 잃을
室 집
實 열매

—심

心 마음
甚 심할
深 깊을
尋 찾을
審 살필

—십

十 열

—아

兒 아이
我 나
牙 어금니
芽 싹
雅 맑을
亞 버금
阿 언덕
餓 주릴

—악

惡 악할 악, 미워할 오
岳 큰 산

—안

安 편안할
案 책상
顔 얼굴
眼 눈
岸 언덕
雁 기러기

—알

謁 아뢸

—암

暗 어두울
巖 바위

—압

壓 누를

—앙

仰 우러러볼
央 가운데
殃 재앙

—애

愛 사랑
哀 슬플
涯 물가

—액

厄 재앙
額 이마

—야

也 잇기
夜 밤
野 들
耶 어조사

—약

弱 약할
若 같을
約 약속할
藥 약

—양

羊 양
洋 큰 바다
養 기를
揚 날릴
陽 햇볕
壤 흙
樣 모양
楊 버들
讓 사양할

—어

魚 물고기
漁 고기잡을
於 어조사 어, 슬플 오
語 말씀
御 모실

—억

億 억
憶 생각할
抑 누를

—언

言 말씀
焉 어찌

—엄

嚴 엄할

—업

業 일

—여

余 나
餘 남을
如 같을
汝 너
與 줄
予 나
輿 수레

—역

亦 또
易 바꿀 역, 쉬울 이
逆 거스를
譯 통역할
驛 역마
役 부릴
疫 전염병
域 지경

—연

然 그럴
煙 연기
硏 갈
硯 벼루
延 뻗을
燃 불탈
燕 제비
沿 따라갈
鉛 납
宴 잔치
軟 연할
演 익힐
緣 인연

—열

熱 더울
悅 기쁠

—염

炎 불꽃
染 물들일
鹽 소금

—엽

葉 잎사귀

—영

永 길
英 꽃부리
迎 맞을
榮 영화
泳 헤엄칠
詠 읊을
營 경영할
影 그림자
映 비칠

—예

藝 재주
豫 미리
譽 명예
銳 날카로울

—오

五 다섯
吾 나
悟 깨달을
午 낮
誤 그릇될
汚 더러울
嗚 탄식할

娛 즐거울
梧 오동나무
傲 거만할
烏 까마귀

——옥

玉 구슬
屋 집
獄 감옥

——온

溫 따뜻할

——옹

翁 늙은이

——와

瓦 기와
臥 누울

——완

完 완전할
緩 느릴

——왈

曰 말할

——왕

王 임금
往 갈

——외

外 바깥
畏 두려워할

——요

要 중요할
腰 허리
搖 흔들
遙 멀
謠 노래

——욕

欲 욕심
浴 목욕할
慾 욕심
辱 욕될

——용

用 쓸
勇 날랠
容 얼굴
庸 떳떳할

——우

于 어조사
宇 집
右 오른쪽
牛 소
友 벗
羽 깃
郵 우편
愚 어리석을
偶 짝
優 넉넉할
雨 비
憂 근심
又 또
尤 더욱
遇 만날

——운

云 이를
雲 구름
運 옮길
韻 울릴

——웅

雄 수컷

——원

元 으뜸
原 근원
願 원할
遠 멀
園 동산
員 인원
源 근원
援 도울
院 집
怨 원망할
圓 둥글

——월

月 달
越 넘을

——위

位 벼슬
危 위태할
爲 하
偉 훌륭할
威 위엄
胃 밥통
謂 이를
圍 둘레
緯 씨
衛 호위할
違 어길
委 맡길
慰 위로할
僞 거짓

——유

由 말미암을
油 기름
酉 닭
有 있을
猶 오히려
幽 그윽할
惟 생각할
維 이을
乳 젖
儒 선비
唯 오직
遊 놀
柔 부드러울
遺 끼칠
幼 어릴
裕 넉넉할
誘 꾈
愈 우수할
悠 멀

——육

肉 고기
育 기를

——윤

閏 윤달
潤 불을

——은

恩 은혜
銀 은
隱 숨을

——을

乙 새

——음

音 소리
吟 읊을
飮 마실
陰 그늘
淫 음란할

——읍

邑 고을
泣 소리 없이 울

——응

應 응할

——의

衣 옷
依 의지할
義 옳을
議 의론할
矣 어조사
宜 마땅
儀 거동
疑 의심할
醫 의원
意 뜻

——이

二 두
貳 두
以 써
已 이미
耳 귀
夷 오랑캐
而 귀
異 다를
移 옮길

——익

益 더할
翼 날개

——인

人 사람
引 끌
仁 어질
因 인할
忍 참을

刃 칼날
姻 혼인할
認 인정할
寅 범
印 도장

—일

一 한
日 날
壹 한
逸 잃을

—임

壬 천간
任 맡길
賃 품팔이

—입

入 들

—자

子 아들
字 글자
自 스스로
者 놈
姉 맏누이
玆 이
雌 암컷
紫 자주빛
資 재물
姿 맵시
慈 사랑
恣 방자할
刺 찌를 자, 척

—작

作 지을
昨 어제
酌 잔질할
爵 벼슬

—잔

殘 남을

—잠

潛 잠길
蠶 누에
暫 잠깐

—잡

雜 섞일

—장

長 긴
章 글
場 마당
將 장수
壯 장할
丈 길
張 베풀
帳 휘장
莊 씩씩할
裝 꾸밀
奬 권장할
墻 담
葬 장사지낼
粧 단장할
掌 손바닥
藏 감출
臟 오장
障 막을
腸 창자

—재

才 재주
材 재목
財 재물
在 있을
栽 심을
災 재앙
裁 마를
載 실을
再 두
哉 어조사

—쟁

爭 다툴

—저

著 나타날 저, 붙을 착
貯 쌓을
低 낮을
底 밑
抵 막을

—적

的 과녁
赤 붉을
適 맞을
敵 원수
笛 피리
滴 물방울
摘 딸
寂 고요할
籍 호적
賊 도둑
跡 발자취
蹟 자취
積 쌓을
績 길쌈

—전

田 밭
全 온전할
典 법
前 앞
展 펼
專 오로지
轉 구를
戰 싸움
電 번개
錢 돈
傳 전할

—절

節 마디
絶 끊을
切 끊을 절, 모두 체
折 꺾을

—점

店 가게
占 점칠
點 점
漸 차차

—접

接 맞을
蝶 나비

—정

丁 고무래
頂 정수리
停 머무를
井 우물
正 바를
亭 정자
訂 잡을
廷 조정
程 법
征 칠
政 정사
定 정할
貞 곧을
精 정할
情 뜻
整 정돈할
靜 고요할
淨 깨끗할
庭 뜰

—제

弟 아우
第 차례
祭 제사
帝 임금
題 제목
提 들
堤 둑
制 지을
際 사귈
齊 가지런할 제,
재계할 재
除 제할
諸 모두
製 지을
濟 구제할

—조

兆 억조
早 이를
造 지을
鳥 새
調 고를
弔 조상할
燥 잡을
操 지조
照 비칠

條 가지
朝 아침
助 도울
祖 할아비
潮 조수
租 세금
組 짤

—족

足 발
族 겨레

—존

存 있을
尊 높을

—졸

卒 군사
拙 옹졸할

—종

宗 마루
種 씨
鐘 쇠북
終 마칠
從 좇을
縱 세로

—좌

左 왼쪽
坐 앉을
佐 도울
座 자리

—죄

罪 허물

—주

主 주인
注 물댈
住 머무를
朱 붉을
宙 집
舟 배
周 두루
株 그루
州 고을
洲 물가
走 달아날
酒 술
晝 낮
柱 기둥

—죽

竹 대

—준

準 법도
俊 준걸
遵 따라갈

—중

中 가운데
重 무거울
衆 무리
仲 버금

—즉

即 곧

—증

曾 일찍
增 더할
證 증거
憎 미워할
贈 줄
症 병세
蒸 증기

—지

只 다만
支 지탱할
枝 가지
止 그칠
之 갈
池 못
誌 기록할
智 지혜
遲 더딜
知 알
地 땅
指 손가락
志 뜻
至 이를
紙 종이
持 가질

—직

直 곧을
職 벼슬
織 짤

—진

辰 별 진, 날 신
眞 참
進 나아갈
盡 다할
振 떨칠
鎭 진압할
陣 벌일
陳 베풀
珍 보배

—질

質 바탕 질, 볼모 지
秩 차례
疾 병
姪 조카

—집

集 모을
執 잡을

—징

徵 부를
懲 징계할

—차

且 또
次 버금
此 이
借 빌릴
差 어긋날

—착

着 붙을
錯 그를 착, 도금 조
捉 잡을

—찬

贊 찬성할
讚 칭찬할

—찰

察 살필

—참

參 참여할 참, 석 삼
慘 슬플
慙 부끄러울

—창

昌 창성할
唱 노래부를
窓 창
倉 창고
創 다칠
蒼 푸를
滄 바다
暢 화창할

—채

菜 나물
採 캘
彩 무늬
債 빚질

—책

責 꾸짖을
冊 책
策 꾀

—처

妻 아내
處 곳
悽 슬플

—척

尺 자
斥 내칠
拓 넓힐 척, 밀칠 탁
戚 친척

—천

千 일천
天 하늘
川 내
泉 샘
淺 얕을
賤 천할
踐 밟을
遷 옮길
薦 드릴

—철

鐵 쇠
哲 밝을
徹 관철할

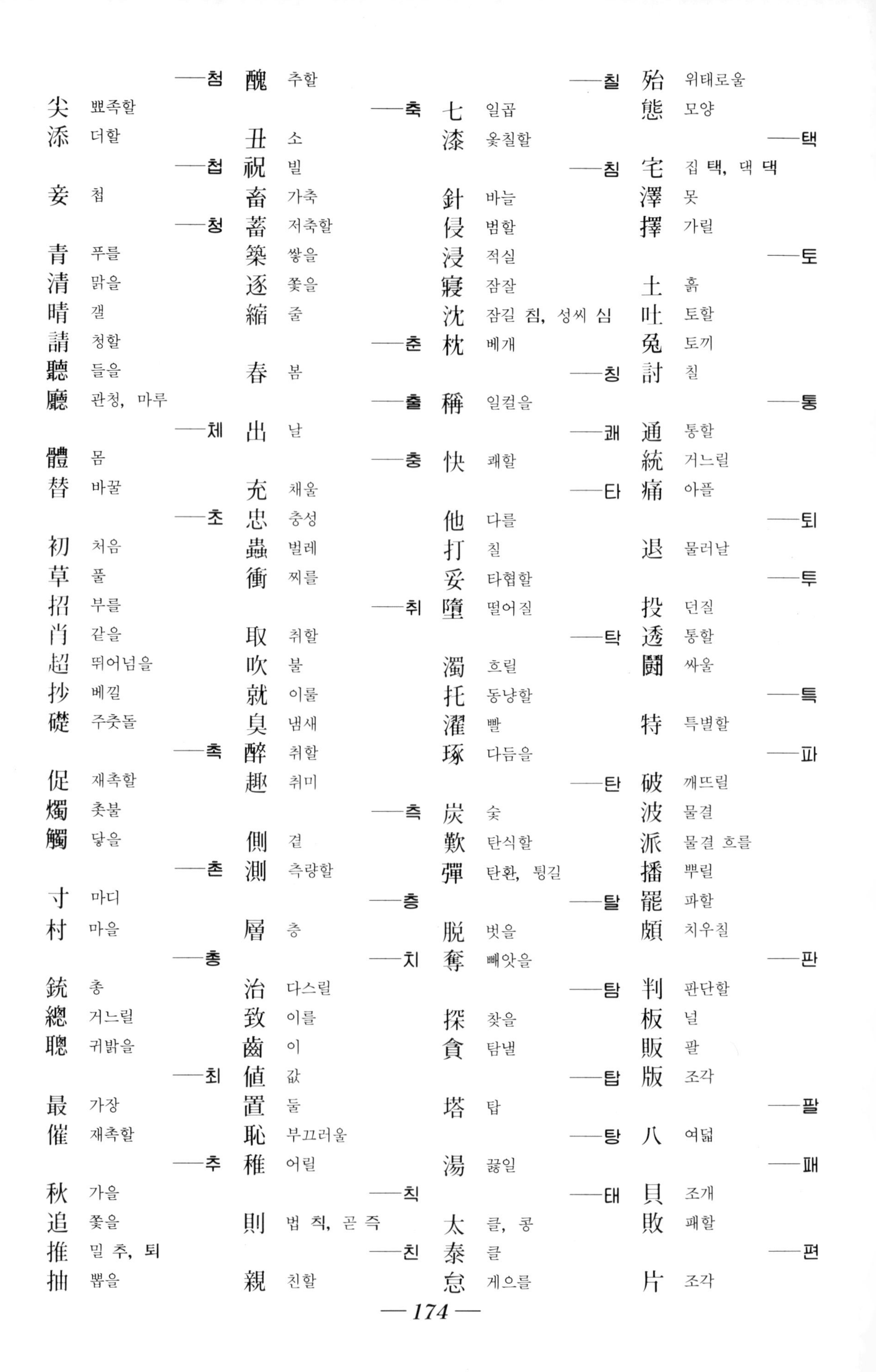

—첨

尖 뾰족할
添 더할

—첩

妾 첩

—청

青 푸를
清 맑을
晴 갤
請 청할
聽 들을
廳 관청, 마루

—체

體 몸
替 바꿀

—초

初 처음
草 풀
招 부를
肖 같을
超 뛰어넘을
抄 베낄
礎 주춧돌

—촉

促 재촉할
燭 촛불
觸 닿을

—촌

寸 마디
村 마을

—총

銃 총
總 거느릴
聰 귀밝을

—최

最 가장
催 재촉할

—추

秋 가을
追 쫓을
推 밀 추, 퇴
抽 뽑을
醜 추할

—축

丑 소
祝 빌
畜 가축
蓄 저축할
築 쌓을
逐 쫓을
縮 줄

—춘

春 봄

—출

出 날

—충

充 채울
忠 충성
蟲 벌레
衝 찌를

—취

取 취할
吹 불
就 이룰
臭 냄새
醉 취할
趣 취미

—측

側 곁
測 측량할

—층

層 층

—치

治 다스릴
致 이를
齒 이
値 값
置 둘
恥 부끄러울
稚 어릴

—칙

則 법 칙, 곧 즉

—친

親 친할

—칠

七 일곱
漆 옻칠할

—침

針 바늘
侵 범할
浸 적실
寢 잠잘
沈 잠길 침, 성씨 심
枕 베개

—칭

稱 일컬을

—쾌

快 쾌할

—타

他 다를
打 칠
妥 타협할
墮 떨어질

—탁

濁 흐릴
托 동냥할
濯 빨
琢 다듬을

—탄

炭 숯
歎 탄식할
彈 탄환, 튕길

—탈

脫 벗을
奪 빼앗을

—탐

探 찾을
貪 탐낼

—탑

塔 탑

—탕

湯 끓일

—태

太 클, 콩
泰 클
怠 게으를
殆 위태로울
態 모양

—택

宅 집 택, 댁 댁
澤 못
擇 가릴

—토

土 흙
吐 토할
兎 토끼
討 칠

—통

通 통할
統 거느릴
痛 아플

—퇴

退 물러날

—투

投 던질
透 통할
鬪 싸울

—특

特 특별할

—파

破 깨뜨릴
波 물결
派 물결 흐를
播 뿌릴
罷 파할
頗 치우칠

—판

判 판단할
板 널
販 팔
版 조각

—팔

八 여덟

—패

貝 조개
敗 패할

—편

片 조각

便 편할 편, 오줌 변
篇 책
編 엮을
遍 두루

——평

平 평평할
評 평론할

——폐

閉 닫을
肺 허파
廢 폐할
弊 폐단
蔽 가릴
幣 화폐

——포

布 베
抱 안을
包 쌀
胞 태
飽 배부를
浦 물가
捕 잡을

——폭

暴 드러날 폭, 사나울 포
爆 폭발할
幅 넓이 폭, 폭 복

——표

表 거죽
票 표
標 표할
漂 뜰

——품

品 물건

——풍

風 바람
楓 단풍나무
豐 풍년

——피

皮 가죽
彼 저
疲 고달플
被 입을
避 피할

——필

必 반드시
匹 짝 필, 목
筆 붓
畢 마칠

——하

下 아래
夏 여름
賀 하례할
何 어찌
河 물
荷 멜

——학

學 배울
鶴 학

——한

閑 한가할
寒 찰
恨 원한
韓 나라
旱 가물
汗 땀
漢 한수

——할

割 나눌

——함

咸 다
含 머금을
陷 빠질

——합

合 합할 합, 홉 홉

——항

恒 항상
巷 거리
港 항구
項 목
抗 항거할
航 물 건널

——해

害 해칠
海 바다
亥 돼지
解 풀
奚 어찌
該 해당할

——핵

核 씨

——행

行 갈 행, 항렬 항
幸 다행

——향

向 향할
香 향기
鄕 고을
響 울릴
享 누릴

——허

虛 빌
許 허락할

——헌

軒 추녀끝
憲 법
獻 드릴

——험

險 험할
驗 시험할

——혁

革 가죽

——현

現 나타날
賢 어질
玄 검을
弦 활시위
絃 악기줄
縣 고을
懸 매달
顯 나타날

——혈

血 피
穴 구멍

——협

協 도울
脅 갈비

——형

兄 맏
刑 형벌
形 얼굴
亨 형통할
螢 반딧불

——혜

惠 은혜
慧 지혜
兮 어조사

——호

戶 집
乎 어조사
呼 부를
好 좋을
虎 범
互 서로
胡 오랑캐
浩 넓고 클
毫 터럭
豪 호걸
號 부를
湖 호수
護 보호할

——혹

或 혹
惑 의혹

——혼

婚 혼인할
混 섞을
昏 어두울
魂 넋

——홀

忽 홀연

——홍

紅 붉을
洪 넓을
弘 클
鴻 기러기

——화

火 불

化 될
花 꽃
貨 재물
和 화할
禾 벼
禍 재화
話 이야기
畫 그림 화, 꾀할 획
華 빛날

—확

確 확실할
穫 곡식 거둘
擴 늘릴

—환

歡 기뻐할
患 근심
丸 알
換 바꿀
環 둘레
還 돌아올

—활

活 살 활, 물소리 괄

—황

黃 누런
皇 임금
況 하물며
荒 거칠

—회

回 돌아올
會 모을
灰 재
悔 뉘우칠
懷 품을

—획

獲 얻을
劃 그을

—횡

橫 가로

—효

孝 효도
效 본받을
曉 새벽

—후

後 뒤
厚 두터울
侯 제후
候 날씨
喉 목구멍

—훈

訓 가르칠

—훼

毁 헐

—휘

揮 휘두를
輝 빛날

—휴

休 쉴
携 끌

—흉

凶 흉할
胸 가슴

—흑

黑 검을

—흡

吸 숨들이쉴

—흥

興 일어날

—희

希 바랄
喜 기쁠
稀 드물
戱 희롱할, 놀이
噫 느낄 희, 트림할 애
熙 빛날

〔以上 1,800字〕

● 학문을 아는 자는 이를 좋아하는 사람만 못하고, 학문을 좋아하는 자는 이를 즐기는 사람만 못하다.

— 공자(孔子)

● 인간의 참된 학문, 참된 연구는 인간이다.

— P. 샤롱

● 술책에 능란한 사람은 학문을 멸시하고, 단순한 사람은 학문을 경탄하며, 슬기로운 사람은 학문을 이용한다.

— F. 베이컨

● 교육은 노년기(老年期)를 위한 가장 훌륭한 대책이다.

— 아리스토텔레스

● 학교를 여는 자는 감옥을 닫는다.

— V. 위고

● 사람은 적어도 날마다 약간의 노래를 듣고 좋은 시를 읽고, 훌륭한 그림을 보고, 또 가능하다면 몇 마디의 합당한 말을 해야 한다.

— 괴테

● 책은 위대한 천재가 인류에게 남긴 유산(遺産)이다.

— 애디슨